中國文史經典講堂

莊子選評

中國文史經典講堂

莊子選評

中國社會科學院文學研究所

主編 楊義　副主編 劉躍進

選注・譯評 陸永品

責任編輯　　　崔　衡
裝幀設計　　　鍾文君

書　　名　　中國文史經典講堂·莊子選評
編選單位　　中國社會科學院文學研究所
主　　編　　楊　義
副 主 編　　劉躍進
選注·譯評　　陸永品
出　　版　　三聯書店（香港）有限公司
　　　　　　香港鰂魚涌英皇道 1065 號 1304 室
　　　　　　JOINT PUBLISHING (H.K.) CO., LTD.
　　　　　　Rm. 1304, 1065 King's Road, Quarry Bay, Hong Kong
發　　行　　香港聯合書刊物流有限公司
　　　　　　香港新界大埔汀麗路 36 號 3 字樓
　　　　　　SUP PUBLISHING LOGISTICS (HK) LTD.
　　　　　　3/F, 36 Ting Lai Road, Tai Po, N.T., Hong Kong
印　　刷　　深圳中華商務安全印務股份有限公司
　　　　　　深圳市龍崗區平湖鎮萬福工業區
版　　次　　2006 年 4 月香港第一版第一次印刷
規　　格　　大 32 開（140 × 210mm）188 面
國際書號　　ISBN-13: 978 · 962 · 04 · 2542 · 4
　　　　　　ISBN-10: 962 · 04 · 2542 · 1

主編的話

　　中國正在經歷着巨大的變革，已經成為全世界矚目的焦點；中華民族創造的輝煌文化也日益顯現出它的奪目光彩。華夏五千年文明，就是我們民族生生不已的活水源頭，就是我們民族卓然獨立的自下而上之根。

　　“問渠哪得清如許，為有源頭活水來。”

　　為探尋這活水源頭，為培植這生存之根，中國社會科學院文學研究所成立五十多年來，一直把文化普及工作放在相當重要的位置，並為此作了大量的、卓有成效的工作。早在二十世紀五六十年代，文學研究所就集中智慧，着手編纂《文學概論》、《中國少數民族文學史》、《中國文學史》、《中國現代文學史》等通論性的論著。與此同時，像余冠英先生的《樂府詩選》(1953年出版)、《三曹詩選》(1956年出版)、《漢魏六朝詩選》(1958年出版)，王伯祥先生的《史記選》(1957年出版)，錢鍾書先生的《宋詩選注》(1958年出版)，俞平伯先生的《唐宋詞選釋》(初名《唐宋詞選》，1962年內部印行，1978年正式出版)，以及在他們主持下編選的《唐詩選》等大專家編寫的文學讀本也先後問世，印行數十萬冊，在社會上產生了廣泛而又深遠的影響。進入新的時期，文學研究所秉承傳統，又陸續編選了《古今文學名篇》、《唐宋名篇》、《台灣愛國詩鑒》等，並在修訂《不怕鬼的故事》的基礎上新編《不信神的故事》等，贏得了各個方面的讚譽。

　　擺在讀者面前的這套“中國文史經典講堂”依然是這項工

作的延續。其編選者有年逾古稀的著名學者，也有風華正茂的年輕博士，更多的是中青年科研骨幹。我們希望通過這樣一項有意義的文化普及工作，在傳播優秀的傳統文學知識的同時，能夠讓廣大讀者從中體味到我們這個民族美好心靈的底蘊。我們誠摯地期待着廣大讀者的批評指正。

目　　錄

前　言

一

　　莊子名周，生卒年不詳。莊周為蒙（今山東曹縣西北）人，生活在戰國前期，曾經做過蒙地漆園的小吏，與魏惠王、齊宣王同時。當時，周王朝已名存實亡，形成了秦、齊、楚、韓、趙、魏、燕七雄爭霸天下的局面。弱肉強食，兼併戰爭此起彼伏，社會動盪不安，民不聊生。莊周反對不義戰爭，同情人民疾苦，對魚肉人民的統治階級和黑暗社會極為不滿，不願與統治者合作，便辭官歸隱，生活清貧潦倒。據司馬遷《史記·老子韓非列傳》記載："楚威王聞莊周賢，使使厚幣迎之，許以為相。"莊周辭而不受，說："我寧遊戲污瀆之中自快，無為有國者所羈，終身不仕，以快吾志焉。"莊周的思想及其個性，由此亦可見一斑。《莊子》書中有關莊周不願做官，寧肯過着困苦生活的寓言故事，大抵亦可作為他生平事蹟的印證。

莊子像　選自《列仙圖讚》

　　莊子是老子的後學，司馬遷說："其學無所不窺，然其要本歸於老子之言。"（同上）莊子繼承並發展了老子的學說，也建立了自己的學說，是道家的集大成者。

《漢書·藝文志》載《莊子》五十二篇。經過秦朝焚書坑儒的浩劫，逮至晉代郭象注《莊子》時，只編選三十三篇，即內篇七、外篇十五、雜篇十一。流傳至今的三十三篇《莊子》，即郭象注本。《莊子》十餘萬言，大都是寓言故事。後代研究《莊子》者甚多，訓釋、音義和研究著作，多達百餘部。

有關《莊子》篇什的真偽問題，直到宋代的蘇軾，才在《莊子祠堂記》中對《讓王》、《說劍》、《盜跖》、《漁父》四篇提出質疑，但缺乏有力根據，不足為憑。後代學者步蘇子後塵，說《莊子》有些篇章"譏侮列聖，戲劇夫子"，"意淺詞膚"、"語言不屬"等，也多為主觀臆斷。應當說，三十三篇《莊子》大都出自莊子的手筆。其中《說劍》篇，寫趙惠文王沉醉於劍術，不以國事為重。而趙惠文王為戰國中期人，晚於莊子，顯然此篇是後人的偽託之作。也有人持不同意見。

二

莊子是中國著名的文學家和哲學家，在中國文學史、哲學史、美學史和思想史諸領域都佔有重要地位。

莊子在哲學和美學方面的建樹。

其一，莊子追求絕對的思想自由。莊子所追求的絕對自由的思想，在其代表作《逍遙遊》篇即有充分的表現。莊子認為，大鵬扶搖直上九萬里，蜩和鸞鳩"決起而飛"，列子"御風而行"，都還是"有所待"（即有所依賴），沒有達到絕對的自由。只有做到"無己"、"無功"、"無名"，排除一切功利目的，"無所待"，方能"乘天地之正，而御六氣之辯（變），以遊無窮"。所謂"以遊無窮",即逍遙無為於絕對自由的境界。莊子企圖超越客觀條件的制約,追求絕對的思想自由,自然是不可能達到的。

其二,莊子繼承老子的基本思想,創立了"相對論"的學說。老子說:"天下皆知美之為美,斯惡已;皆知善之為善,斯不善已。故有無相生,難易相成,長短相形,高下相傾,聲音相和,前後相隨。"(《老子》第二章)莊子發展了老子的思想,他認為,一切都是相對的。他說:"物無非彼,物無非是。""彼出於是,是亦因彼。""是亦彼也,彼亦是也。""彼亦一是非,此亦一是非。"(《齊物論》)等等。莊子創立的這一"相對論"學說,含有豐富的辯證思想,給人們觀察自然和社會的許多現象提供了理論根據。歷史上和當今世界許多自然和社會問題,正是按照莊子的此種"相對論"學說在演變着。不過,莊子否定認識真理的可能性,也是錯誤的。

其三,莊子提出齊生死、等萬物的妙論。莊子認為,世界上一切矛盾對立的雙方,諸如生與死、貴與賤、榮與辱、成與毀、大與小、然與不然、可與不可等等,皆無差別。《齊物論》和《秋水》兩篇,即集中表現了莊子的此種觀點。所謂"萬物一府,死生同狀"(《天地》),亦是此意。事實上,世上的萬事萬物都是有差別的。莊子的此種觀點,從表面看,顯然是奇談怪論,而其骨子裡卻表現了其灑脫曠達的思想。

其四,莊子繼承老子"道法自然"的思想,提出要"法天貴真"、"復歸於樸",以"自然為宗"。莊子說:"法天貴真,不拘於俗。"(《漁父》)意謂遵守自然(天)法則,珍視純真本性,不受世俗的人為約束。他所謂"復歸於樸"(《山木》），即要求人們不要被世俗扭曲性情，要回歸人們原有的自然本性。莊子的這種"以自然為宗"的思想，並不能就認為是"崇尚自然"的美學思想。但它對後世"崇尚自然"的美學思想的形成，卻具有直接的影響，而又與之不同。莊子的"以自然為宗"的思想，其中蘊含有三層意思：一是含有恬淡無為，安時處順的思想；二是含有反對人為的約束，恢復純真的自然本性的思想；三是含有嚮往"小國寡民"的原始社會和混沌世界的思想。此種思想，在《莊子》書中《駢拇》、《天地》、《天道》、《繕性》、《秋水》、《山木》、《漁父》等篇，皆有明顯的表現。

其五，不相信生死由命、不迷信鬼神。在中國春秋戰國時代，由於科學不夠發達，有許多人都相信天命和迷信鬼神。儒家的代表人物孔子和孟子，他們在一定程度上是相信天命的。墨家的墨翟不相信"命運"，而卻相信"天命"和迷信鬼神，因此，他主張"尊天"和"明鬼"。莊子不相信生死由命，不迷信鬼神。《莊子》書中所講到的"天"和"命"，往往都是從哲學意義的自然規律而言。他有時為了表達某種思想，也曾使用"鬼神"二字，但也只不過是借用而已。莊子對人的生與死，就有這樣精闢的見解。他說："人之生，氣之聚也；聚則為生，散則為死。"（《知北遊》）能夠通達性命之情，看透人的生死規律，具有超脫曠達的精神。所以，明代的徐文長說："莊周輕死生，曠達古無比。"（《讀〈莊子〉》）

《莊子》書中有兩則破除迷信鬼神的寓言故事，給人們留下了深刻的印象。一則是《應帝王》篇，寫一個名叫壺子的道家術師，他利用氣功，揭穿"神巫"季咸謊稱能預見人的生死、存亡、禍福、壽夭的騙術。另一則是《達生》篇，寫齊桓公田獵"見鬼"，氣盪神搖而致病的寓言故事，生動而巧妙地說明，世上並無"鬼"，是人"自傷"的道理。

其六，以醜怪內德為美。莊子認為，人的貴賤，並不能以其權勢、地位的高低來劃分，應當以其行為"美醜"為劃分標準。莊子曾明確地說："故勢為天子，未必貴也；窮為匹夫，未為賤也。貴賤之分，在行之美醜。"（《盜跖》）基於他的此種美醜觀，他便在《人間世》和《德充符》兩篇中，分別塑造了七個形體殘缺不全的醜陋怪人。這些醜陋的奇人怪人，雖然形象可怖，但他們的德行才智都超過了常人，是天下最受人歡迎和愛戴的人。又如《山木》篇，寫宋地某店主，有妾二人，一人美，一人醜，醜者受寵，美者卻受到冷落。何故？因為美者雖然自以為美，店主並不認為她美；醜者雖醜，她品德好，店主並不嫌她醜。此則寓言故事，其用意是在告誡人們："行賢而去自賢之行"，走到哪裡都會受到愛戴。莊子通過此等寓言故事，其目的是要破除陳腐的道德觀念，同時也表現了莊子以內德為美的美學思想。莊子的這種美學思想，無論在古代或今天，都曾經或正在產生積極的影響。

其七，只可意會，不可言傳的美學思想。莊子繼承了老子"道可道，非常道"，道體至虛，只可意會，不可言傳的思想。莊子認為："大道不稱，大辯不言"（《齊物論》）；"可以言傳者，物之粗也；可以意致者，物之精也。"（《秋水》）莊子在《天道》篇中更加明確地說：世俗之人所珍貴的大道，全靠書籍的記載，而書籍的記載不過語言而已。語言文字，有其可貴之處，然而語言文字的可貴，就在於它深邃的外在的含義。它的外在含義是難以表達的，是只可意會，而"不可以言傳"的。因此，老子和莊子都說："知者不言，言者不知。"意思是說：真正知曉大道的人，都是不會用言語來說明大道的；而用言語說明大道的人，其實並不知曉大道是只可意會而不可言傳的。莊子把此種思想，用在表現技藝上，就體現了他的"只可意會，不可言傳"的美學思想。《天道》篇輪扁斫輪的寓言故事，即生動地說明了這個問題。輪扁斫輪"得手應心"的高超斫輪技藝，之所以不能傳授給子孫，就是因為他的此種絕技，只可意會，不可言傳，以致使其"行年七十"，總還是在斫輪。在莊子此種審美思想的哺育下，便直接促使了後代"書不盡言，言不盡意"（《周易‧繫辭上》），"言外之意"、"弦外之音"、"言有盡而意無窮"的美學思想的形成。

三

在諸子散文中，莊子的散文最優美生動，最富有詩情畫意，最具有個性化特徵。具體地說，莊子散文有這樣幾方面的藝術特色。

第一，氣勢宏偉，景象壯闊，具有一種雄奇怪誕的藝術意境。諸如《逍遙遊》篇對鯤鵬展翅九萬里的描寫，就寫得雄奇壯闊，氣象萬千。說鯤之大，鵬之背，有幾千里；說鵬怒而飛，其翼若垂天之雲；其徙於南冥（海），水擊三千里，扶搖直上九萬里。此等極度誇張的描寫，"志存天地，不屑雷霆"的磅礡氣勢，曾經受到許多古往今來文人墨客的激賞。唐代偉大浪漫主義詩人李白曾以讚賞的語氣說道："南華老仙發天機於漆園，吐崢嶸之高論，開浩蕩之奇言……吾亦不測其神怪之若此，蓋乃造化之所為。"（《大鵬賦》）《人間世》篇寫齊地有棵櫟社樹，其大能遮蔽數千條牛；臨山十仞之枝，能造舟數十。此種奇樹怪木，的確世上罕見。《秋水》篇寫"秋水時至，百川灌河，涇流之大，兩涘渚崖之間，不辯牛馬"；順流東下，至於北海，不見水端，因而便引起河伯望洋興歎。《外物》篇寫任公子為大鈎巨緇，以五十條牛為釣餌，蹲在會稽山上，旦旦（天天）而釣。一年之後，大魚上鈎，牽動巨緇，潛入海水，驚揚奮鬐，白波若山，海水震盪，聲侔鬼神，憚赫千里。任公子將此大魚，剖開晾乾，大半個中國，竟飽食此魚。《田子方》篇寫列御寇為伯昏無人射箭，那種"警辟奇險"的絕技表演；《達生》篇寫孔子觀於呂梁的驚心動魄的場面，凡此等等，都充滿了濃厚的浪漫主義色彩，表現了無窮的想像力，給讀者留下了美好的回味。

第二，辛辣幽默，嬉笑怒罵，皆成文章。莊子對社會上的種種弊端和醜惡行徑，都能以犀利的筆觸，予以無情的諷刺。譬如，《徐無鬼》篇對魏武侯搜刮民脂民膏而供自己享樂，反美其名曰"愛民"、"為民偃兵"的虛偽性，給予冷嘲熱諷，筆鋒尖刻，猶如凜冽秋霜。《則陽》篇諷刺諸侯發動兼併戰爭，屠殺人民，就好像在蝸牛左右角廝殺那樣可笑。《外物》篇寫偽儒"以詩禮發冢"的寓言故事，把大小偽儒盜墓時擔驚受怕的緊張情緒，以及其生怕損壞死人口中珠寶的心態和輕手輕腳的動作，都描寫得有聲有色。《列御寇》篇通過宋人曹商出使秦國，得到秦王的歡心，獲車百乘，而卻大言不慚地誇口於莊子的故事，有力地嘲諷和抨擊了不擇手段、阿諛奉承，而獲得榮華富貴的無恥之徒。由此可見，莊子不愧為中國最早的諷刺文學大師。對此，清代治莊學者劉鳳苞曾給予高度的評價說：「莊子嬉笑怒罵，皆成文章，舉世悠悠，借此以消遣歲月，真澆盡胸中塊壘矣！」（《南華雪心編》）

第三，筆法多種多樣，行文千變萬化。清代學者吳世尚曾經指出，莊子散文：有空寫，有實寫；有順寫，有反寫；有淡寫，有濃寫；有近寫，有遠寫；有半寫，有全寫；有加倍寫，有分幫寫等不同筆法（《莊子解》）。言外立言，意中出意，層層相生，段段回顧，忽而羊腸鳥道，忽而疊嶂重巒。文法之變化，如行雲流水，天馬行空。如《胠篋》篇使用多種比喻和不同筆法，最後寫出「聖人之利天下也少，而害天下多」的結論。文中之變化，正如清代學者胡文英所說，「奇峰陡起，若神龍變化，無處覓其首尾」（《莊子獨見》）。《天地》篇寫「堯之師曰許由」的故事，抑而又揚，揚而又抑，文法變化，轉換無窮。而且連用「方且」七個排比句，如天花飛落，令人心目俱眩。

即使在同一篇中，為了表達一種特定的思想，作者也同時使用多種不同筆法。如《大宗師》篇，為了闡明以「大道」為師的宗旨，先是議論，然後又用幾組寓言故事，有「正讚、反讚、分讚、合讚、借讚、陪讚、明讚、暗讚，浚發不窮，面面各異。讚真人所以讚道，讚道即勵真人」（《莊子獨見》）。最後一則寓言故事，更是寫得若歌若哭，忽而鼓琴，忽而舉詩，文法變化入神，痕跡俱泯。

為了抒情寫性的需要，莊子往往又以不同筆法穿插文中。如《逍遙遊》篇就運用了敘事、引證、議論、比喻等不同手法。清代學者林雲銘曾評論此篇說：「忽而敘事，忽而引證，忽而譬喻，忽而議論。以為斷而非斷，以為續而非續，以為復而非復。只見雲霧空濛，往反紙上，頃刻之間，頓成異觀！"（《莊子因》）在先秦散文中，惟獨莊子之作具有此等特色。

第四，善於比喻，生動活潑。清代學者宣穎說："莊子之文，長於譬喻，其玄映空明，解脫變化，有水月鏡花之妙。且喻後出喻，喻中設喻，不啻峽雲層起，海市幻生，從來無人及得。"（《南華經解》）例如，《天運》篇寫"孔子西遊於衛"的寓言故事，接連使用"古今非水陸"、"周魯非舟車"、"桔槔俯仰"、"柤梨橘柚可口"、"猨狙衣周公之衣"、"西施病心而矉其里"六個比喻，做六層轉換，愈轉愈活。由於它使用六個不同比喻，便生動形象地說明了"禮義法度"必須"應時而變"的道理。正是由於莊子善於使用明喻、暗喻、正喻、反喻等巧比曲喻的手法，才使他的文章含蓄蘊藉，富於變化，餘音裊裊，韻味無窮。

第五，善於利用典型事件，虛構故事，反映主題思想。莊子可謂是中國文言小說之祖。宋代著名學者黃震就明確指出："莊子以不羈之才，肆跌宕之說，創為不必有之人，設為不必有之物，造為天下必無之事，用以眇末宇宙，戲薄聖人，走弄百出，茫無定蹤，固千萬世詼諧小說之祖也。"（《黃氏日鈔》）《莊子》中介乎寓言與故事之間的一些作品，其中的人、物、事都是虛構的，故事完整，情節生動，饒有情趣，皆可視為文言小說，亦可視為寓言故事，這正是莊子小說與眾不同的特點。清代學者劉熙載說莊子"意出塵外，怪生筆端"（《藝概》），的確道出了莊子小說異想天開、雄奇瑰麗、新穎怪誕的特點。

第六，莊子的語言豐富多彩，生動形象，表達力強，富有創造性，具有強烈的藝術效果和高度的美學價值。莊子不愧為中國的語言大師，他的語言作為成語流傳至今的多矣！例如：大相逕庭、不近人情、鵬翼垂天、朝三暮四、望洋興歎、運斤成風、吐故納新、薪盡火傳、望似木雞、亦步亦趨、雞鳴狗吠、得意忘言、與時俱化、失之交臂、日改月化、每下愈況、冰解凍釋、相濡以沫、斷髮文身、螳臂當車、用管窺天、用錐指地、夜以繼日、直木先伐、甘井先竭、用志不分、同類相從、同聲相應、搖唇鼓舌等等，語言精煉，概括力強，具有永久的生命力。《莊子》之書，可謂豐富的語言寶庫。

《莊子》書中，還有不少談論養生之道的寓言故事。老子和莊子都提倡少私寡慾、恬淡無為、順應自然、守氣全神的養生之道。《莊子》書中《養生主》、《繕性》、《達生》等篇，即是莊子闡述養生之道的傑作。

四

莊子的道家思想，對古代、近代和現當代的詩人、學者以及思想家、藝術家都有很深的影響。諸如屈原、司馬遷、陶淵明、李白、蘇軾、辛棄疾、曹雪芹，以及魯迅、郭沫若、俞平伯等等，都深受莊子思想的影響。莊子在中國和世界文化史上皆享有盛譽。如果說，《莊子》在思想內容方面，對後代積極和消極的影響參半的話，它在文學藝術方面對後代的影響，則完全是積極的，沒有窮盡的。

明末清初的文學評論家金聖嘆，就把《莊子》、《離騷》、《史記》、《杜甫詩集》、《水滸傳》、《西廂記》並列為“六才子書”。魯迅對莊子的評價也很高，他說莊子散文：“汪洋辟闔，儀態萬方，晚周諸子之作，莫能先也。"（《漢文學史綱要》）郭沫若也高度評價莊子說："莊子在中國文化史上的確是一個特異的存在，他不僅是一位出類的思想家，而且是一位拔萃的文學家……秦漢以來的一部中國文學史差不多大半是在他的影響下發展。"（《莊子與魯迅》）此話並非言過其實。從以上學者對莊子的推崇，便可看到莊子在中國文化史上佔有何等重要的地位。

《莊子》與其他古代著作一樣，是精華與糟粕共存的。今天研究《莊子》，應當本着批判繼承、古為今用的原則，吸收其精華，剔除其糟粕，不能兼收並蓄。

五

本書選《莊子》六篇，以清代郭慶藩《莊子集釋》為底本，個別字、詞、句參照其他版本校訂。每篇皆有注釋、串講和評析。難懂的寓言故事，都加了按語。

《莊子》之書，富有深邃的哲理，博大玄妙，深奧難識，仁者見仁，智者見智，多有不同見解。本選本的注釋、串講和評析等，皆力求準確、精煉。

吳庚舜師兄為我從宋蜀刻本《李太白文集》複印《大鵬賦》並序，方勇教授為我提供莊子墓等幾幅照片，鄭永曉和郭虹先生為我做了照片的光盤，在此，謹一併對他們表示衷心的感謝。

陸永品

2004 年 9 月 10 日

逍遙遊

北冥有魚，其名為鯤。[1]鯤之大，不知其幾千里也；化而為鳥，其名為鵬。[2]鵬之背，不知其幾千里也；怒而飛，其翼若垂天之雲。[3]是鳥也，海運則將徙於南冥。[4]南冥者，天池也。[5]

莊子像　選自《搜神大全》

《齊諧》者，志怪者也。[6]《諧》之言曰："鵬之徙於南冥也，水擊三千里，[7]摶扶搖而上者九萬里，[8]去以六月息者也。"[9]野馬也，塵埃也，生物以之息相吹也。[10]天之蒼蒼，其正色邪？其遠而無所至極邪？[11]其視下也，亦若是則已矣。[12]

且夫水之積也不厚，則其負大舟也無力。[13]覆杯水於坳堂之上，則芥為之舟；[14]置杯焉則膠，[15]水淺而舟大也。風之積也不厚，則其負大翼也無力。[16]故九萬里，則風斯在下矣，而後乃今培風；[17]背負青天而莫之夭閼者，而後乃今將圖南。[18]

注釋

1. 北冥（míng）：北海。冥，通"溟"。鯤（kūn）：大魚名。
2. 鵬：古"鳳"字，大鳥名。

大鵬賦并序

余昔於江陵見天台司馬子微，謂余有仙風道骨，可與神遊八極之表。因著《大鵬遇希有鳥賦》以自廣。此賦已傳於世，往往人間見之。悔其少作，未窮宏達之旨，中年棄之。及讀晉書，睹阮宣子《大鵬贊》，鄙心陋之。遂更記憶，多將舊本不同，今復存手集，豈敢傳諸作者，庶可示之子弟而已。其辭曰：

南華老仙，發天機於漆園，吐崢嶸之高論，開浩蕩之奇言，徵至怪於齊諧，談北溟之有魚，吾不知其幾

3. 怒：奮力，勉力。垂：垂掛。或謂通"陲"，邊陲。兩句意謂：大鵬奮起而飛，兩個翅膀像遮天之雲。形容其翼大無比。

4. 是鳥：此鳥。是，此。海運：海氣運動。明陸西星云："海運者，海氣動也。海氣動則颶風作，故大鵬乘此風力，怒飛而徙於南冥。"（《南華經副墨》）

5. 天池：天然形成之池。池，指海。

6. 《齊諧》：書名，出於齊地，故名《齊諧》。或謂人名，疑非是。志怪：記載怪異之事。志，記。

7. 水擊：即擊水，指鵬翼拍打海水而飛。

8. 搏（tuán）：團，通"圓"，環繞之意。扶搖：旋風。（成玄英《莊子疏》）句意謂大鵬憑藉大風盤旋高飛。

9. 息：歇息。晉郭象云："大鳥一去半歲，至天池而息。"（《莊子注》）

10. 野馬：游氣（陸西星說）。塵埃：游塵。揚在空中的叫塵，塵的碎粒叫埃。息：氣息。三句意謂：游氣和浮塵，皆借助生物呼吸氣息的吹拂而在空中飄盪。

11. 蒼蒼：深藍色。其正色邪：說"蒼蒼"並非是天的正色。其，抑或，還是。無所至極：謂看不到盡頭。極，盡。

12. 其：指大鵬。若是：如此。兩句意謂：大鵬從天上向下看，也同人向天上看一樣，是看不到真相的。

13. 不厚：不深。負大舟也無力：即"無力負大舟也"。負，載。

14. 覆：傾倒。坳（ào）堂：庭堂低窪處。高亨說："坳堂，疑原作'堂坳'，轉寫倒誤……堂坳，謂堂之凹處，若作'坳堂'，其義

難通。"(《莊子新箋》)芥:草。

15. 焉:在此。膠:粘住,猶言擱淺。

16. 大翼:指大鵬。按:前幾句以水比喻風,以大舟比喻大鵬。為喻中設喻之妙筆。

17. 斯:皆,盡。而後乃今:即"今而後乃"。培風:乘風。培,通"憑"。清王念孫云:"培之言馮也。馮,乘也。風下鵬上,故言負;鵬在風上,故言馮。"(《讀書雜誌》)兩句意謂:鵬高飛九萬里,大風盡在其下,而後方乘風飛行。

18. 莫之夭閼(è):沒有阻礙。莫之:沒有。夭,折。閼:止,塞。圖南:謀劃南飛。

　　蜩與鷽鳩笑之曰:[19]"我決起而飛,搶榆枋而止,時則不至,而控於地而已矣。[20]奚以之九萬里而南為?"[21]

　　適莽蒼者,三飡而反,腹猶果然;[22]適百里者,宿舂糧;[23]適千里者,三月聚糧。[24]之二蟲,又何知![25]

　　小知不及大知,小年不及大年。[26]奚以知其然也?朝菌不知晦朔,[27]蟪蛄不知春秋,[28]此小年也。楚之南有冥靈者,[29]以五百歲為春,五百歲為秋;上古有大椿者,[30]以八千歲為春,八千歲為秋,此大年也。[31]而彭祖乃今以久特聞,[32]眾人匹之,不亦悲乎![33]

劉鳳苞《南華雪心編·逍遙遊》

注釋

19. 蜩（tiáo）：寒蟬，秋天鳴叫。鳩：小斑鳩。笑之：譏笑大鵬。

20. 決起：疾速飛起。搶：突，衝。榆枋：榆樹和檀樹。控於地：投落在地。

21. 奚以：何以，為何。之：往。南：南飛，作動詞。為：句末語氣詞。

22. 適：往，與“之”同義。莽蒼：本指郊野的迷茫之色，此指郊野。飡：通“餐”。果然：很飽的樣子。

23. 宿舂糧：謂需要攜帶一宿所用的口糧。舂糧：舂搗穀物，除去皮殼。這裡指舂好的糧食。

24. 三月聚糧：即“聚糧三月”，謂需要攜帶三個月的食糧。

25. 之：此。二蟲：指寒蟬與鷽鳩。又何知：即“又知何”，謂又知道甚麼呢！按：這裡意謂適近者不能知遠，即下文“小知不及大知”。

26. 知：通“智”。小年：謂壽命短者。

27. 朝菌：或謂朝生暮死，或謂見日而死的一種生物，故謂其不知晦朔。晦：每月的最後一天。朔：每月的第一天。

28. 蟪蛄：又名蜈螃，春生夏死，夏生秋死，故謂其“不知春秋”。

29. 楚：楚國。冥靈：海龜，或謂樹名。

30. 椿：臭椿樹，為傳說中的神樹。

31. 此大年也：清郭慶藩《莊子集釋》無此四字，今據陳碧虛《南華真經章句音義》引成玄英疏本增補。

32. 彭祖：傳說中的長壽之人。《世本》謂彭祖八百歲。特聞：獨聞於世。

33. 匹：比。之：指彭祖。

湯之問棘也是已，³⁴“窮髮之北，³⁵有冥海者，天池也。有魚焉，其廣數千里，未有知其修者，[36] 其名為鯤。有鳥焉，其名為鵬，背若泰山，[37] 翼若垂天之雲，摶扶搖羊角而上者九萬里；[38] 絕雲氣，負青天，[39] 然後圖南，且適南冥也。[40] 斥鴳笑之曰：[41] ‘彼且奚適也？[42] 我騰躍而上，不過數仞而下，[43] 翱翔蓬蒿之間，此亦飛之至也！[44] 而彼且奚適也？’” 此小大之辯也。[45]

故夫知效一官，[46] 行比一鄉，[47] 德合一君而徵一國者，[48] 其自視也，亦若此矣。[49] 而宋榮子猶然笑之。[50] 且舉世譽之而不加勸，[51] 舉世非之而不加沮；[52] 定乎內外之分，辯乎榮辱之境，斯已矣。[53] 彼其於世，未數數然也。[54] 雖然，猶有未樹也。[55]

注釋

34. 湯：商湯，商朝第一代國君。棘：即夏革，商朝大夫，商湯任其為師。是已：是也。句謂商湯問夏革的話是這樣的。

35. 窮：極。髮：指草木。句謂北極草木不生之地。

36. 修：長。

37. 泰山：一作“太山”，即山東境內之泰山。

38. 羊角：旋風。成玄英云：“旋風曲戾，猶如羊角。”

39. 絕：穿越。負：倚靠。

40. 且適：將往。且，將。

41. 斥鴳（yàn）：生活在水澤中的小鳥。斥，小水澤。

42. 彼：指大鵬。

43. 仞：古代的長度單位。周制八尺為一仞，漢制七尺為一仞，東漢末五尺六寸為一仞。

44. 蓬蒿：蓬與蒿為兩種低矮草本植物。至：極至，極點，指理想境界。

45. 辯：通"辨"，分。句意說：大椿與朝菌、大鵬與斥鴳等，大小屬性不同，卻皆以為達到極至，看不到自己與對方的差別。

46. 故夫：所以。夫，句中語氣詞。知：通"智"。效：勝任。句謂才智能夠勝任一官之職的人。

47. 行：行為。比：適合。句謂行為能夠適合一鄉人們心意的人。

48. 合：投合。徵：信。句謂品德能使國君滿意而又能取信於一國人民的人。

49. 其：指以上三種人。此：指斥鴳、蜩、鸒鳩。兩句謂：這三種人自我陶醉自己的處境，其實他們與斥鴳、蜩、鸒鳩並無甚麼區別。

50. 宋榮子：即宋鈃（xīng），宋人，與孟子同時。猶然：譏笑的樣子。笑之：譏笑那三種人。

51. 且：發語詞。勸：奮勉。句謂全世社會的人都稱讚他，他並不會因此而奮發向前。按：以下幾句，皆指宋榮子而言。

52. 非之：非難他。不加沮：不感到喪氣。沮，喪氣。

53. 定：確定。內外：指自我與外界。分：分界，區別。斯已矣：猶說"如此而已"，斯，此。三句謂：宋榮子能知道自己與外界的區別，辨別榮與辱的界限，不過如此而已。

54. 彼：指宋榮子。數數然：汲汲追求虛名的樣子。兩句謂：宋榮子活在世上，並不急於追求虛名。

55. 樹：樹立。兩句謂：雖然如此，宋榮子還是未能超然物外，自立於逍遙無為的境界。

夫列子御風而行，[56]泠然善也，[57]旬有五日而後反。[58]彼於致福者，[59]未數數然也。此雖免乎行，猶有所待者也。[60]

若夫乘天地之正，⁶¹而御六氣之辯，⁶²以遊無窮者，⁶³彼且惡乎待哉？⁶⁴故曰：至人無己，神人無功，聖人無名。⁶⁵

堯讓天下於許由，⁶⁶曰："日月出矣，而爝火不息；⁶⁷其於光也，不亦難乎！⁶⁸時雨降矣，而猶浸灌；⁶⁹其於澤也，不亦勞乎！⁷⁰夫子立而天下治，而我猶尸之，⁷¹吾自視缺然，請致天下。"⁷²許由曰："子治天下，天下既已治也；而我猶代子，吾將為名乎？⁷³名者，實之賓也。⁷⁴吾將為賓乎？鷦鷯巢於深林，⁷⁵不過一枝；偃鼠飲河，⁷⁶不過滿腹。歸休乎君！⁷⁷予無所用天下為。⁷⁸庖人雖不治庖，尸祝不越樽俎而代之矣。"⁷⁹

注釋

56. 夫：發語詞。列子：列御寇，或稱列圄寇、列圉寇，戰國時代鄭國人，早於莊子，貴虛，屬於道家。《莊子》書中《應帝王》、《至樂》、《達生》、《讓王》篇與《呂氏春秋·審己》篇，皆記載其事蹟。《莊子》書中記載他的文字，多為寓言。御：乘，馭。

57. 泠（líng）然善也：意謂妙極了！泠然：輕妙的樣子。善：好。

58. 旬有五日：十五日。旬，十天。有，又。反：通"返"。

59. 彼：指列子。致福：求福。

60. 免乎行：免於步行。乎，於。有所待：有所依賴。指列子依靠風力而行。宋王元澤云："御風而後行，此皆有所待也。有所待，則其於逍遙也未盡乎幽妙。"（《南華真經新傳》）

61. 乘：因循（《文選》李善注）。正：法則。句意謂：若能遵循自然規律。

62. 六氣：指陰、陽、風、雨、晦、明。辯：通"變"。句謂能乘着六氣的變化。

63. 無窮：無窮無盡的境界。與下文"無何有之鄉"、"廣莫之野"同義。即大道的自由境界。

64. 彼：人稱代詞，指列御寇。惡：何。按：清陸樹芝云："此篇是逍遙之極致，通篇主意至此方點出，為全書之綱。"（《莊子雪》）

65. 無己：謂能達到忘我的境界。無功：謂能超脫功利。無名：謂能超脫名利。按：所謂至人、神人、聖人，其實是一種人，即順天地、忘物我而獲得絕對自由的得道之人。

66. 堯：名放勳，號陶唐氏，傳說為我國上古時代的聖明帝王，為五帝之一；是儒家的理想天子，卻被莊子視為未體悟大道的人物。許由：字仲武，為傳說中高士，隱居於潁水之陽、箕山之下。堯讓天下給他，他厭惡其聲，洗耳於潁水之濱，故稱洗耳翁。

67. 爝（jué）火：火把。息：通"熄"。按：堯用日月比喻許由，以爝火自比。

68. 其：指爝火。兩句謂：爝火要與日月比光，不是很困難的嗎？

69. 時雨：季雨。浸灌：抱甕取水而澆灌田地。

70. 澤：潤澤禾苗。兩句謂：這對潤澤禾苗來說，不是徒勞的嗎？意謂多此一舉。

71. 夫子：對男子的尊稱，這裡指許由。立：謂立為天子。尸：主，謂主持國事。

72. 缺然：自愧不足。致：讓。

73. 子：古代對男女皆可稱"子"，這裡指堯。為名：為佔有名聲。

74. 實：實體。賓：陪襯。

75. 鷦鷯（jiāo liáo）：善於築巢的小鳥。按：許由以鷦鷯自比，以深林比喻天下。

76. 偃鼠：即鼴鼠，嘴尖、爪利、眼小，白天棲於穴中，夜間出來覓食昆蟲，喜入河飲水。

77. 歸休乎君：即："君歸休乎"，謂你回去算了。

78. 無所用：用不着。為：語尾歎詞。句謂我用不着天下。

79. 庖人：廚工。不治庖：不做廚工之事。尸祝：主祭祀的官。尸，太廟中的神主。主祭人執祭版對神主（尸）而祝，故稱"尸祝"（成玄英說）。樽：盛酒器。俎（zǔ）：盛肉器。樽、俎為廚工掌管，這裡代指廚工。按：許由以庖人比喻堯，以尸祝自比。堯讓天下給許由的寓言，意在說明"聖人無名"。"越俎代庖"的成語，即出於此。

　　肩吾問於連叔曰：[80]"吾聞言於接輿，[81]大而無當，往而不反。[82]吾驚怖其言，猶河漢而無極也；[83]大有逕庭，[84]不近人情焉。"連叔曰："其言謂何哉？"曰："'藐姑射之山，[85]有神人居焉。肌膚若冰雪，淖約若處子；[86]不食五穀，吸風飲露；乘雲氣，御飛龍，而遊乎四海之外；其神凝，使物不疵癘而年穀熟。'[87]吾以是狂而不信也。"[88]連叔曰："然！瞽者無以與乎文章之觀，[89]聾者無以與乎鐘鼓之聲。[90]豈唯形骸有聾盲哉？夫知亦有之。[91]是其言也，猶時女也。[92]之人也，之德也，[93]將旁礴萬物以為一，世蘄乎亂，孰弊弊焉以天下為事！[94]之人也，物莫之傷：[95]大浸稽天而不溺，大旱金石流、土山焦而不熱。[96]是其塵垢秕糠，將猶陶鑄堯、舜者也。[97]孰肯以外物為事！"[98]

　　宋人資章甫而適諸越，[99]越人斷髮文身，無所用之。[100]堯治天下之民，平海內之政，往見四子藐姑射之山、汾水之陽，[101] 窅然喪其天下焉。[102]

注釋

80. 肩吾、連叔：皆為虛構人物。舊說二人為懷道者。

81. 接輿：姓陸名通，字接輿，楚國隱士，與孔子同時。佯狂不仕，並勸孔子及早歸隱。《人間世》和《論語·微子》皆記此事。

82. "大而"兩句：意謂接輿言談過於誇大，不合實用；只是侃侃而談，卻離題萬里。

83. 驚怖：驚怕。河漢：天河。無極：沒有邊際。

84. 逕：同"徑"，門外之路。庭：院內堂外之地。徑庭相距很遠，這裡指偏差極大。

85. 藐姑射（yè）：傳說中的神山名。

86. 淖（chuò）約：柔弱的樣子。處子：處女。

87. 其神凝：謂神人精神凝聚專一。疵癘：惡病。

88. 狂：通"誑"，欺。兩句謂：我以為接輿的話是謊言，不能相信。

89. 瞽者：瞎子。與：參與，猶言"觀看"。文章：花紋。觀：動詞作名詞用，可訓作華麗。句意謂瞎子無法觀看花紋的華麗。

90. 聾者句：意謂聾子無法聽到鐘鼓之聲。

91. 豈：難道。知：通"智"。

92. 是其言：指上文所說思想上的聾子、瞎子的話。時：通"是"，此。女：通"汝"，你，指肩吾。

93. 之人：神人。之，此。下文三"之"，亦類此。之德：謂神人的品德。

94. 旁礴：混同（郭慶藩《莊子集釋》）。旁，又作"磅"。蘄（qí）：通"期"，求。亂：治。弊弊：經營的樣子。

95. 物莫之傷：即"物莫傷之"。兩句謂：神人，外物不可能傷害他。

96. 大浸：大水。溺：淹沒。稽：至。兩句謂：洪水滔天也不能淹沒他。大旱時使金石熔化、土山枯焦也不能使他感到熾熱。

97. 是其：此其，謂神人。秕糠：比喻道的糟粕。正如《莊子·讓王》
   篇說：「道之真以治身，其緒餘以為國家。其土苴以治天下。」陶
   鑄：造就。

98. 孰：誰，指神人。外：外物，指天下。

99. 「宋人」句：即「宋人適諸越而資章甫」。適諸越：到越國去。
   資：賣。章甫：殷代的一種帽子。宋人為殷的後裔，故戴此帽。

100. 斷髮：剪短頭髮。文身：在皮膚上刺花紋或圖騰。

101. 四子：指王倪、齧缺、被衣、許由。《莊子》中《天地》篇有此
    四人，為虛構人物。汾水：黃河支流，在山西省境內。陽：山
    南、水北謂陽面，這裡指汾水北面。

102. 窅（yǎo）然：茫然的樣子。句謂：堯茫然忘記他身居天下之
    位。按：越人斷髮紋身，不用帽子，猶如許由不用天下。藐姑射
    山之神人，不以治天下為事；而堯大治天下後，遂忘天下，皆說
    明「神人無功」之意。

    惠子謂莊子曰：[103]「魏王貽我大瓠之種，我樹之成而
實五石，[104] 以盛水漿，其堅不能自舉也；[105] 剖之以為
瓢，則瓠落無所容。[106] 非不呺然大也，吾為其無用而掊
之。」[107] 莊子曰：「夫子固拙於用大矣！[108] 宋人有善為不
龜手之藥者，世世以洴澼絖為事。[109] 客聞之，請買其方
百金。[110] 聚族而謀曰：[111]『我世世為洴澼絖，不過數金；
今一朝而鬻技百金，請與之。』[112] 客得之，以說吳王。[113]
越有難，吳王使之將。[114] 冬，與越人水戰，大敗越人。
裂地而封之。[115] 能不龜手，一也；[116] 或以封，或不免於
洴澼絖，則所用之異也。[117] 今子有五石之瓠，何不慮以

為大樽而浮乎江湖？[118]而憂其瓠落無所容，則夫子猶有蓬之心也夫！"[119]

惠子謂莊子曰："吾有大樹，人謂之樗；[120]其大本擁腫不中繩墨，[121]其小枝卷曲而不中規矩。[122]立之涂，匠者不顧。[123]今子之言，大而無用，眾所同去也。"[124]莊子曰："子獨不見狸狌乎？[125]卑身而伏，以候敖者。[126]東西跳梁，[127]不辟高下，中於機辟，[128]死於罔罟。[129]今夫斄牛，[130]其大若垂天之雲，此能為大矣，而不能執鼠。[131]今子有大樹，患其無用，何不樹之於無何有之鄉，廣莫之野，[132]彷徨乎無為其側，[133]逍遙乎寢臥其下，不夭斤斧，[134]，物無害者。無所可用，安所困苦哉！"[135]

注釋

103. 惠子：姓惠名施，宋人，曾為梁惠王相，是先秦名家的代表人物，也是莊子的好友，《莊子》中多次寫到與他辯論的事。

104. 魏王：魏惠王，姓魏名罃，戰國時代魏國國君，因遷都大梁（今河南開封市），又稱梁惠王。瓠（hù）：葫蘆。實：果，即葫蘆。石：十斗為一石。

105. 堅：堅固。不能自舉：不能承受。

106. 瓠落。廓落，形容很大的樣子。無所容：沒有地方能容得下。

107. 呺（xiāo）然：虛大的樣子。掊（pǒu）：擊碎。按：以上幾句，惠子以大瓠比喻莊子之言誇大空虛，不合實用。

108. 拙於用大：不善於使用大的東西。拙，笨拙。

109. 不龜（jūn）手之藥：防治手凍瘡的藥膏。龜，通"皸"，皮膚凍裂。以洴澼絖（píng pì kuàng）為事：以漂絮為業。洴澼，打洗。絖，古"纊"字，即絮。

110. 客：遊客。請買其方百金：即"請百金買其方"，謂願用百金購買其藥方。金，指白銀。

111. 聚族而謀：召集全家族而商討。

112. 一朝：一次。鬻技：出賣藥方。與之：賣給他。

113. 說：游說。吳王：周朝時吳國的諸侯。據有今江蘇、安徽、浙江的部分地區。

114. 越：周朝時的諸侯國，據有今浙江錢塘江一帶，春秋末年滅吳。難：發難，指軍事行動。使之將：派他率領軍隊。

115. 裂地：劃地，割地。封：封賞。

116. 一也：一樣的。兩句謂：能夠使手不凍裂，藥方是一樣的。

117. "或以封"三句：意謂有人用此藥方可以得到封地，有人用此藥方卻不免於漂絮，原因即在於對藥方的使用不同。

118. 慮：謀劃。樽：盛酒器。大樽，指舟船。

119. 有蓬之心：謂心為茅塞。比喻見識淺薄，不通道理。蓬，蓬草。

120. 樗（chū）：落葉喬木，有臭味，木質鬆脆，不能作器具。

121. 大本：樹幹。擁腫：即"臃腫"，指樹幹疙瘩盤結。不中（zhòng）：不合。繩墨：木匠用來劃直線的墨線。

122. 規矩：圓規和角尺。

123. 立之涂：種在路邊。匠者：木匠。

124. 眾所同去：謂大家皆棄捨它。按：惠施說莊子的話，與此木相同，見棄於人。

125. 獨：豈，難道。狸：野貓。狌（shēng）：黃鼠狼。

126. 卑：低。敖：通"遨"，遨遊。兩句謂：狸和狌低下身子伏在地上，在等候捕食遨遊的小動物。

127. 跳梁：跳踉，也寫作"跳浪"，騰躍跳動之意。辟：通"避"，避開。

128. 機辟：泛指捕獸工具。機，指機弩之類。辟，即翻車，能夠轉動而捕獸。中於機辟，即陷進捕獸工具之中。

129. 罔：同"網"。罟（gǔ）：網的總稱。按：狸狌之喻，意在說明靈活捷巧，反而招害。

130. 斄（jī）牛：牦牛，體大不靈活。

131. 此句牦牛之喻，意在說明笨拙則能遠害全身。

132. 無何有之鄉：空虛無有之地。廣莫之野：寬廣無人之處。按：莊子以虛寂空曠之地，比喻大道之所在。

133. 彷徨：徘徊。乎：於。無為：逍遙。

134. 夭：夭折。斤斧：斧頭。不夭斤斧。謂不會遭到斤斧的砍伐。

135. 安所困苦：謂哪裡會有困苦。按：最後一段，通過各種不同的比喻，曲折地說明有用致禍，無用免害的道理。

串講

　　北方大海裡有條魚，名字叫鯤。鯤軀體之大，不知道有幾千里；變化而成鳥，名字叫鵬。鵬的脊背，不知道有幾千里；它奮起而飛，翅膀就像遮天之雲。這隻大鳥，海風颳起，便乘風而飛去南海。南海，是天然的大池。

　　《齊諧》此書，皆記載怪異的事情。此書說："大鵬飛往南海，雙翅拍打水面，激起三千里波濤，環繞旋風而直上九萬里。它離開北海，六個月方至南海，然後才停下休息。"游氣和塵埃，皆借助自然界生物呼吸的氣息在空中飄盪。天的深藍色，並非是其本色，是因其高遠而看不到盡頭所造成的錯覺。大鵬從天上向下看，同人往天上看一樣，也看不到真相。

　　江河積水不深，就無力托載大船。傾倒一杯水在庭堂低窪處，一棵小草浮在水面就像一隻小船；放一隻杯子在上面就會擱淺，那是水淺而船大的原因。風力不大，就沒有力量托起鵬的巨大翅膀。所以，大鵬高飛直上九萬里，大風盡在其下面，而後乘風飛行；它揹負青天而沒有阻礙，方能向南海飛去。

寒蟬與小斑鳩譏笑大鵬說：“我們從地面疾速飛起，遇到榆樹和檀樹的樹枝便停下；不能高飛，就落在地上。大鵬為何要到九萬里高空而後才向南海飛去呢？”

到迷茫的郊野，需帶三餐便能往返，肚子還是飽的。到百里之外的地方，只需帶上過一夜的口糧。到千里之外的地方，就需要準備三個月的口糧。寒蟬與小斑鳩，又知道甚麼呢！

智慧小的不如智慧大的，壽命短的不如壽命長的。怎麼知道這個道理的呢？朝菌不知有晦朔，蟪蛄不知有春秋，這便是短壽。楚國的南方有隻大龜，以五百年當做春，以五百年當做秋。傳說上古時代有棵大椿樹，以八千年當做春，八千年當做秋。這即是長壽。而彭祖至今還以長壽而聞名於世，人們想與他相比，不是很可悲的嗎？

商湯問夏革的話是這樣的：“北極草木不生之地，有個大海，就是天池。池裡有條魚，牠寬廣有數千里，沒有人能知道牠有多長，魚名叫鯤。那裡有種鳥，名字叫鵬，脊背猶如泰山，翅膀像遮天之雲。鵬奮起而飛，環繞着旋風而直上九萬里高空，穿過雲氣，背靠青天，然後飛向南方，飛往南海。小鳥斥鴳譏笑牠說：‘大鵬將飛到甚麼地方去？我跳躍而飛起，不過數丈高就降落下來，翱翔在蓬蒿叢裡，這即是最高境界。而大鵬究竟要飛到哪裡去？’”這就是大小不同的差別了。

所以，才智能夠勝任一官之職者，行為能夠適合一鄉人們的心意者，品德能使國君滿意而又能取信於國人者，這三種人都陶醉於自己的處境，他們與斥鴳、蜩、鸞鳩之類並沒有甚麼區別。而宋榮子就嘲笑他們。宋榮子此人，全社會的人都讚揚他，他並不會奮發向前；全社會的人都非難他，他也不會因此而沮喪。宋榮子能夠認識自己與外界的區別，辨別榮與辱的界限，不過如此而已。他活在世上，並不急於追求虛名。雖然如此，宋榮子還是未能超然物外，自立於逍遙無為的自由境界。

列子能乘風行走，走起來輕妙極了，十五日後便能夠返回原地。列子並不急於尋求幸福，他雖然免於步行，還是要借助風力而行。

假若能順應自然規律，乘着六氣的變化而變化，逍遙於自由的境界，列子還依賴甚麼呢？所以說，只有得道之人能夠達到忘我、超越功利和名譽的自由境界。

堯要把天下讓給許由，他說：“日月已經升上天空，火把還不熄滅，要與日月比光輝，不是很困難的嗎？季雨普降，還在澆水灌田，這對潤澤禾苗，不是徒勞嗎？你若能立為天子，天下將大治，而我徒居天子之位，真是自愧能力不足，請允許我把天下讓給你。”許由說：“你治理天下，天下已經大治，而我還代替你，我難道是為了名聲嗎？名聲，是實體的附生之物。我去追求這種附加之物有何用？鷦鷯在深林裡築巢，不過只佔一個樹枝；偃鼠在河裡飲水，不過只喝飽肚子。你回去吧，我用不着天下。廚工不做廚工的事，主祭人也不會越位而代替廚工做烹飪的事情。”

肩吾向連叔請教說：“我聽到接輿的言論，大話連篇而不着邊際，胡說亂侃而離題萬里。我怕他的話，像天河那樣沒有邊際，與人們的話相差太遠，到了不近人情的程度。”連叔問道：“他都說了些甚麼？”“他說：‘藐姑射山，有個神人，皮膚像冰雪那樣潔白，體態像少女那樣柔美，不食五穀，吸風飲露，乘雲氣，駕飛龍，遨遊於四海之外。他的精神專注，能使萬物不遭病害，年年五穀豐登。' 我認為他的話是謊言，不可信。"連叔說："是啊！瞎子無法觀看花紋的華麗，聾子無法聽到鐘鼓的樂聲。難道只有形體上有聾瞎嗎？人的思想也有聾瞎現象。所謂思想上的聾子、瞎子，好像就是你肩吾。那個神人，他的品德將與萬物混同為一體，世人卻期望他治理天下，誰會忙忙碌碌把治理天下當回事！這種神人，外物無法傷害他，洪水滔天也不能淹沒他，大旱時使金石熔化、土山枯焦也不能使他感到灼熱。神人留下的塵垢和糟粕，就能陶鑄成堯與舜。神人哪裡會把治理天下當回事呢！"

宋國人到越國販賣帽子，越國人斷髮紋身，用不着戴帽子。

堯治理好天下，穩定了國家的政局，便去藐姑射山、汾水北岸拜見四位得道的高士，而他卻茫然若失，竟然遺忘他身居天下之位。

惠施對莊子說："魏王送給我大葫蘆種，我種下結成葫蘆，能容五石。用它盛水，脆而不堅固，承受不了水的壓力。把葫蘆剖開做成瓢，又大得無地方放置，並不是因為葫蘆太大，我因其無用而把它砸碎。"莊子說："先生不善於使用大的東西。宋國有個會做治療凍手藥膏的人，世代以漂絮為業。有個遊客聽說後，願用百金購買他的藥方。他召集全家商量說：'我們世代漂絮，所得不過數金，如今一次賣藥方就能得百金，不如賣給他吧。' 遊客買到此藥方，就去游說吳王。恰巧越國對吳國開戰，吳王就派遊客率領軍隊。冬天，與越國進行水戰，因有凍藥不怕手裂，便大敗越軍。因此，吳王便割地封賞遊客。能使手不凍裂，藥方是一樣的，有人能用它獲得封賞，有人卻只能靠它漂絮為生，這是因為對藥方的使用不同。現在你有能容納五石的大葫蘆，為何不用它做成大船，到江湖裡去漂游，而卻憂慮它太大無處可放呢？先生還是見識淺薄而不通道理吧？"

惠施對莊子說："我有棵大樹，人們叫它樗。樹幹上疙瘩盤結，不符合木匠劃線的要求；樹枝彎曲，也不符合規矩。把它種在路旁，木匠不屑一顧。現在你的話，誇大而無用，人們都會捨棄它。"莊子回答說："你難道沒有看到野貓和黃鼠狼嗎？低下身子伏在地上，等待捕食遨遊的小動物。東西騰躍跳動，不避高低，卻陷入捕獸工具，死在網中。而今的牦牛，牠大得像蔽天之雲，牠能幹大活，卻不能捕捉老鼠。現在，你有棵大樹，還憂慮它沒有用，為何不把它栽在空虛無有的地方，或寬廣無人之處，任意地悠遊在樹旁，自由自在地躺在樹下呢？不會遭到斤斧砍伐，沒有東西會傷害它。沒有用處，哪裡會有困苦呢？"

評析

《逍遙遊》是反映莊子哲學思想的重要代表作之一，把它放在《莊子》的首篇，亦可見其重要性。

何謂"逍遙遊"？唐代學者陸德明說："閒放不拘，怡適自得。"(《經典釋文》)清代著名治莊學者王先謙對此又做了比較明確的詮釋："言逍遙乎物外，任天而遊無窮也。"(《莊子集解》)天，指人的自然本性。意思是說：順應天性，不受外物牽累，自由自在地悠遊在廣闊的天地間。王先謙又說："無所待而遊於無窮，方是《逍遙遊》一篇綱目。""無待"即不依賴客觀條件。莊子認為，只有"無待"，方能"遊於無窮"。為了闡明此種哲學思想，他並非是用抽象的道理來說明，而是用鯤鵬、鷽鳩、蜩、列子等不同的鮮明形象，生動地闡發這種無為逍遙的哲理。莊子認為，鯤鵬展翅九萬里，蜩與鷽鳩"決起而飛"，列子"御風而行"，皆"猶有所待"，只有物我兩忘，超脫一切功利目的——"無己"、"無功"、"無名"的"至人"、"神人"、"聖人"，即得道之人，方能"乘天地之正，御六氣之辯，以遊無窮"。

事實上，人處世上，有許多說不盡的煩惱和痛苦。正如蘇軾所說："人有悲歡離合，月有陰晴圓缺，此事古難全。"（《水調歌頭·丙辰中秋……》）莊子主張發展人的自然本性，反對一切人為的桎梏，幻想超越社會的客觀條件，而追求絕對的精神自由——逍遙遊。顯然，這是不可能達到的。

本文既然是闡發莊子追求絕對自由的哲學思想，本應用邏輯思維而寫一篇論說的文章，然而莊子卻用文學的形象思維，利用描寫不同的鮮明形象，巧比曲喻，曲折地說明"有待"與"無待"的抽象的哲理。因此，本文便具有突出的，與眾不同的文學特色。具體地說，本文有這樣兩點突出的藝術特色：一是具有雄奇怪誕、大氣磅礴的意境；二是採用多種多樣的表現手法，皆能各盡其妙。

本文開頭便寫，鯤鵬其大無比，不知有幾千里。鵬"怒而飛"，其翼若垂天之雲；它飛向南冥，水擊三千里，扶搖直上九萬里，六個月方至南海而休息。這種雄奇壯闊的景象，氣勢磅礴的意境，古往今來，曾博得許多文人墨客的激賞。晉代阮修的《大鵬讚》就把莊子所寫鯤鵬碩大無比，"志存天地，不屑雷霆"的磅礴氣勢及其勇猛精神，逼真地再現紙背。雖然，莊子用鯤鵬展翅的寓言，意在表現其逍遙自適的思想，但在客觀上卻能令人"拓展胸次"，給人一種"海闊憑魚躍，天高任鳥飛"的感受。宋代徐霖評論說："《莊子》雄豪宏肆，以神行萬物之上，以心遊宇宙之表，至樂極詣，古無斯人！"（《莊子口義後序第二》）清代評論家劉熙載又用"能飛"來評論莊子崢嶸浩蕩的神妙之筆。劉氏說："文之神妙者，莫過於能飛。莊子之鵬，曰'怒而飛'，今觀其文，無端而來，無端而去，殆得'飛'之機者。"（《藝概》）莊子散文這種雄豪灑脫，恣肆汪洋的浪漫主義精神，曾經哺育了中國古代許多詩人，如屈原、李白、蘇軾、辛棄疾等豪放派詩人，都從莊子那裡汲取了豐富的營養，成就了中國文學的浪漫主義流派。

作者為了加深加重表現主題，本文採用了各種不同筆法，真是波瀾起伏，煙波萬狀，令人眼花繚亂，目不暇接。譬如，上半篇寫鯤鵬展翅九萬里，並援引《齊諧》為證，又以蜩、斥鴳、鷽鳩做陪襯；插入"小知不及大知"，又寫宋榮子"不加勸"、"不加沮"，"猶未有樹也"。下半篇寫堯讓天下給許由、肩吾問連叔，又以無用之大瓠、大樹做比喻，最後用"彷徨乎無為其側，逍遙乎寢臥其下”等幾句，畫龍點睛，揭示主題。使用了敘事、引證、比喻、議論等不同手法，皆能曲盡其情，各盡其妙。劉熙載又對莊文“斷續之妙”評論說：“莊子文法斷續之妙，如《逍遙遊》忽說鵬，忽說蜩與鸒鳩、鴳鷃，是為斷；下乃接之曰‘此大小之辯也’，則上文之斷處皆續矣。下文宋榮子、許由、接輿、惠子諸處，亦無不續矣。”（《藝概》）其實，莊子的“斷續”筆法，則為“開闔抑揚之變”“其中自有不變者存”，即萬變不離其宗——“逍遙遊”的主旨。清代治莊學者劉鳳苞說莊子此文：“一路筆勢蜿蜒，如神龍天矯空中，靈氣往來，不可方物……則東云見鱗，西云見爪，餘波噴湧，亦極恣肆汪洋。讀者須處處覷定‘逍遙遊’正意，方不失赤水元珠，致貽譏於象罔也。”（《南華雪心編》）

> **斷續之法**
>
> 　　清代治莊學者林雲銘評論云：“篇中忽而敘事，忽而引證，忽而譬喻，忽而議論，以為斷而非斷，以為續而非續，只見雲霧空濛，往反紙上，頃刻之間，頓成異觀！”（《莊子因·〈逍遙遊〉總論》）

齊物論

南郭子綦隱機而坐，[1]仰天而噓，嗒焉似喪其耦。[2]顏成子游立侍乎前，[3]曰：“何居乎？[4]形固可使如槁木，[5]而心固可使如死灰乎？今之隱機者，非昔之隱機者也。”[6]

莊子像　選自《列仙全傳》

子綦曰：“偃，不亦善乎，而問之也！[7]今者吾喪我，汝知之乎？[8]女聞人籟而未聞地籟；女聞地籟而未聞天籟夫！”[9]

子游曰：“敢問其方。”[10]

子綦曰：“夫大塊噫氣，[11]其名為風。是唯無作，作則萬竅怒呺。[12]而獨不聞之翏翏乎？[13]山陵之畏佳，[14]大木百圍之竅穴，似鼻，似口，似耳，似枅，似圈，似臼，似窪者，似污者；[15]激者，謞者，叱者，吸者，叫者，譹者，宎者，咬者，[16]前者唱於而隨者唱喁。[17]泠風則小和，飄風則大和，厲風濟則眾竅為虛。[18]而獨不見之調調之刁刁乎？”[19]

子游曰：“地籟則眾竅是已，人籟則比竹是已。敢問天籟。”

子綦曰：“吹萬不同，而使其自已也，咸其自取怒者，其誰邪！”[20]

注釋

1. 南郭子綦（qí）：虛構人物。隱機：憑靠几案。隱，憑倚。機，通"几"，几案。

2. 噓：吐氣。荅（tà）焉：解體的樣子。耦：通"偶"，指形體。神與形為偶，忘其形，即"喪其偶"。喪，忘。

3. 顏成子游：姓顏名偃，字子游，謚成，南郭弟子。立侍乎前：站立侍奉在子綦面前。乎，於。

4. 何居（jī）：為何會這樣。居，故。

5. 固：誠然。槁木：枯木，意謂塊然不動。

6. "今之"兩句：意謂其往時憑几而坐，未盡玄妙；今天憑几而坐，寂泊無情。

7. "不亦"兩句：即："而問之也，不亦善乎"的倒裝句。而：猶"汝"，你。

8. "今者"兩句：謂今天我忘掉自己，你知道嗎？

9. 女：通"汝"，你。人籟：謂人吹竹管發出的聲音。地籟：謂風吹洞穴發出的聲響。天籟：指自然界的音響。籟，簫。

10. 敢：表示謙敬的副詞。方：道術。指三籟的含義。敢問其方：謂請問三籟的含義如何。

11. 夫：發語詞。大塊：大地。噫氣：吐氣。

12. 是：此，指風。作：起，指颳風。呺（háo）：亦作"號"，吼叫。

13. 而：通"汝"，你。獨：特。寥寥（liáo）：象聲詞，大風聲。

14. 畏佳：通"嵬崔"，高峻的樣子。

15. 圍：兩手合抱之圓度稱一圍。竅穴：指樹孔。枅（jī）：樑柱橫木的穿孔。圈：羊豬的欄圈。臼（jiù）：舂搗器具。窪：池沼。污：泥塘。按："似鼻"云云，是說竅穴的各種不同形狀。

16. 激者：如激流之聲。謞（xiào）者；如飛箭之聲。叱者：如叱咤之聲。吸者：如噓吸之聲。叫者：若叫喊之聲。譹者：若嚎哭之聲。譹，通"嚎"。咬（jiāo）者：若哀歎之聲。按：以上是說竅穴發出的各種不同聲音。

17. 於、喁（yú）：皆指應和之
    聲。

18. 泠（líng）風：小風。飄風：
    大風。厲風：暴風。濟：
    止。虛：寂靜。

19. 調調：樹枝大動的樣子。刁
    刁：亦作"刀刀"，樹枝微
    動的樣子。

20. 咸：皆。吹萬不同：謂風吹
    千萬個竅穴所發出的聲音各
    不相同。使其自已：謂從自
    本身發出。按："吹萬"以

陸西星《南華經副墨·齊物論》

下四句，是指天籟而言，所以有的治莊學者在"吹萬"前，加上
"天籟者"三字。

　　大知閒閒，小知間間；[21]大言炎炎，小言詹詹。[22]其
寐也魂交，其覺也形開，[23]與接為構，日以心鬥。[24]縵
者，窖者，密者。[25]小恐惴惴，大恐縵縵。[26]其發若機
栝，其司是非之謂也；[27]其留如詛盟，其守勝之謂也；[28]
其殺若秋冬，以言其日消也；[29]其溺之所為之，不可使復
之也；[30]其厭也如緘，以言其老洫也；[31]近死之心，莫使
復陽也。[32]喜怒哀樂，慮嘆變慹，姚佚啟態；[33]樂出虛，
蒸成菌。[34]日夜相代乎前，而莫知其所萌。[35]已乎，已
乎！旦暮得此，其所由以生乎！[36]

　　非彼無我，非我無所取。[37]是亦近矣，而不知所為

使。³⁸若有真宰，而特不得其眹。³⁹可行己信，而不見其形，有情而無形。⁴⁰

百骸、九竅、六藏，賅而存焉。⁴¹吾誰與為親？汝皆說之乎？其有私焉？⁴²如是皆有為臣妾乎？⁴³其臣妾不足以相治乎？⁴⁴其遞相為君臣乎？⁴⁵其有真君存焉？⁴⁶如求得其情與不得，無益損乎其真。⁴⁷

注釋

21. 知：通"智"。閒閒：廣博安詳的樣子。間間：固執偏狹的樣子。按：此兩句是說智力不齊。

22. 炎炎：言詞猛烈。詹詹：言詞囉嗦。按：此兩句是說言論的差別。

23. 魂：精神。形開：指頭腦清醒。兩句意謂：人夢寐時精神無故竟會與外人交接，人睡醒時目開神悟、比較清醒。

24. 構：合。兩句意謂：與外人接交時，出於愛憎，便整日陷入勾心鬥角之中。

25. 縵者：有的表現寬心。窖者：有的深沉。密者：有的精心。按：這裡表現辯論者的三種不同情態。

26. 惴惴：憂懼不安的樣子。縵縵：驚恐失神的樣子。

27. 機：弩牙，弩上發射部位。栝（kuò）：箭栝，箭末端扣弦部位。司：通"伺"，伺機。兩句意謂：辯論者出言驟然，猶如弓箭疾發，乘機挑起是非。

28. 留：謂持言不發。詛（zǔ）盟：誓約。兩句意謂：辯者留言不發，如同誓約，等待時機，以戰勝對方。

29. 殺：衰，指神情沮喪。日消：謂物色日喪。兩句意謂：論者神情沮喪，猶如秋冬時節，物色日喪殆盡。

30. 所為之：指所為辯論而言。兩句意謂：辯者沉溺於言辯，無法恢復

莊周故里　河南民權縣順河鄉青蓮寺村

本性。

31. 厭：閉塞。緘：束篋繩索。老洫（xù）；如多年溝洫壅閉，泉盡水涸（劉鳳苞《南華雪心編》，下同。）。兩句意謂：辯者心靈閉塞，如同繩索束縛，說明他已經衰竭。

32. 莫使復陽：謂不能恢復生氣。陽，生氣。

33. 慮歎變熱（zhé）：意謂多思、多悲、反覆、惶怖（林雲銘《莊子因》，下同）。姚佚啟態：謂輕浮、縱逸、狂放和裝模作樣。姚，同"佻"，輕浮。

34. "樂出虛"兩句：意謂音樂產生於虛空的樂器，朝菌由地氣蒸發而生成。按：這裡比喻"喜怒哀樂"等十二種心態和情緒乍起乍滅，皆不足為憑。

35. "日夜"兩句：謂以上各種心態和情緒日夜更替出現，而並不知從何萌生。

36. 此：指以上情態。兩句意謂：早晚會得知此種情態是從哪裡產生的，便會明白其產生的根由。

37. 彼：指以上各種情態。取：顯現。兩句意謂：沒有以上各種情態，就不會有我；沒有我，它們也無從顯現。

38. 是：此，指人們對"非彼無我，非我無所取"這種道理的認識。所為使：所使然。兩句意謂：人們能認識此種相互依存的關係，是近乎大道了，不知是誰所使然。

39. 真宰：主宰，指人的自然本性的主宰者。特：獨。朕：通"朕"，徵兆。

40. 行：行動。信：與下"情"義同，謂實。三句意謂：真宰的行動是可信的，並看不見其形體，而它的確存在而沒有形跡。

41. 百骸：謂許多骨節。百，約數。九竅：指雙目、雙耳、雙鼻孔、口、生殖器、肛門。六藏：即六臟，藏，通"臟"。指心、肝、脾、肺、腎，腎有二，故謂六臟。賅而存焉：謂皆完備存於我身。賅，完備。

42. 誰與：即"與誰"之倒詞。說：通"悅"。之：指百骸、九竅、六臟。三句謂：我與誰最親，你都同樣喜歡它們嗎？還是有所偏愛呢？

43. 如是：如此。指同樣喜愛它們。句意謂如若同樣喜歡它們，皆把它們當做臣妾嗎？按：此乃比喻句。下同。

44. 不足：不能。句意謂把它們當做臣妾，它們就不能相互制約了。

45. "其遞"句：謂還是它們輪流做君臣呢？

46. 真君：即"真宰"。句意謂是否還另有"真君"主宰呢？

47. 真：指"真君"的"本然真性"（釋德清《莊子內篇注》）。兩句意謂：無論能否尋求到"真君"，對其自然本性都不會有所增減。

　　一受其成形，不亡以待盡。[48]與物相刃相靡，[49]其行盡如馳，而莫之能止，不亦悲乎！終身役役，[50]而不見其成功，苶然疲役，[51]而不知其所歸，可不哀邪！人謂之不死，奚益！[52]其形化，其心與之然，[53]可不謂大哀乎？人

莊周墓　河南民權縣順河鄉青蓮寺村

之生也，固若是芒乎？[54] 其我獨芒，[55] 而人亦有不芒者
乎？

　　夫隨其成心而師之，誰獨且無師乎？[56] 奚必知代，而
心自取者有之？[57] 愚者與有焉！[58] 未成乎心而有是非，是
今日適越而昔至也。[59] 是以無有為有。[60] 無有為有，雖有
神禹，且不能知，吾獨且奈何哉！[61]

　　夫言非吹也。[62] 言者有言，其所言者，特未定也。[63]
果有言邪？其未嘗有言邪？[64] 其以為異於鷇音，亦有辯
乎，其無辯乎？[65]

注釋

48. 待盡：死。兩句意謂：人一旦形性形成，不知保住“真宰”，雖不
　　　即死，也是在坐等死神的降臨。

49. 刃：違逆。靡："礳"之假字，今省做"磨"，消磨。句意謂與外物相違逆相摩擦。

50. 役役：奔忙的樣子。

51. 苶（nié）然：疲頓的樣子。疲役：疲倦困頓的意思。

52. 奚益：有何益處。奚，何。

53. 形化：形體變化衰老。心：指精神。

54. 芒：通"茫"，暗昧。或訓做"昏惑"（陳深《莊子品節》）。

55. 其：抑或。

56. 成心：成見，偏見。師：動詞，取法。且：句中語氣助詞。

57. 知：智者。代：指事物變化更替的道理。心自取：謂心有所見，即認識。兩句意謂：何必懂得事物變化更替之理的智者，才有判斷是非的標準呢？

58. "愚者"句：謂愚蠢的人也有判斷是非的標準。

59. 未成乎心：謂心中尚無成見。適：往。越：越國。兩句意謂：心中未有成見而即先有是非，就好像今日去越國而昨天就到達那樣可笑。

60. 是：此。句意謂這種人把無有當做有。

61. 神禹：禹，即大禹。認為禹神明，故謂"神禹"。奈何：怎樣。

62. 吹：指風吹穴竅。

63. "言者"三句：意謂說話者各持偏見，他們的話，並不能做為判斷是非的根據。

64. "果有"兩句：謂果真說了甚麼，還是未嘗說甚麼。

65. 鷇（kòu）：即將出卵的幼鳥。辯：通"辨"，區別。

　　道惡乎隱而有真偽？[66]言惡乎隱而有是非？[67]道惡乎往而不存？[68]言惡乎存而不可？[69]道隱於小成，言隱於榮華。[70]故有儒墨之是非，以是其所非，而非其所是。[71]欲是其所非，而非其所是，則莫若以明。[72]

　　物無非彼，物無非是。[73]自彼則不見，自是則知之。[74]故曰彼出於是，是亦因彼。[75]彼是方生之說也。[76]雖然，方生方死，方死方生；[77]方可方不可，方不可方可。[78]因是因非，因非因是。[79]是以聖人不由，而照之於天，亦因是也。[80]

莊生化蝶

　　是亦彼也，彼亦是也。[81]彼亦一是非，此亦一是非。[82]果且有彼是乎哉？[83]果且無彼是乎哉？彼是莫得其偶，謂之道樞。[84]樞始得其環中，以應無窮。[85]是亦一無窮，非亦一無窮也。[86]故曰莫若以明。

注釋

66. 道：大道。惡：何。隱：隱晦。

67. 言：指道家之“至言”。

68. “道惡”句：意謂大道本來無處不在，為何會去而不存呢？

69. “言惡”句：意謂“至言”無所不可，為何存在又不被認可言呢？

70. 小成：指一孔之見。榮華：指浮誇不實之辭。兩句意謂：大道被偏見所隱晦，言論被浮誇不實之辭所掩蓋。

71. “故有”三句：意謂儒、墨相互非難，各以對方否定的為是，以對方肯定的為非。

72. 莫若以明：意謂不如拋棄儒、墨之是非，用虛靜之心去觀照事物，明於大道（釋德清說）。

73. 是：此。下同。兩句意謂：以我觀物，物皆為彼；以物自觀，則物皆為物。

74. "自彼"兩句：意謂從彼方而觀察此方，則不見此方的是處；此方而自視，則自知其全是。

75. "彼出"兩句：事物的彼方是由對立的此方而產生；事物的此方亦因對立的彼方而存在。

76. 是：此。句意謂所謂"彼此"的說法，不過是惠施"方生方死"的說法罷了。按：這裡引惠施的話，意在說明是非難定。

77. "方生"兩句：謂方生即死，方死卻又復生。按：此為惠施的論題，揭示生與死的對立統一關係。但它未能表達事物在運動過程中相對的穩定性和質的規定性，因而在一定程度上具有詭辯論的傾向。

78. "方可"兩句：意謂剛認為是時，非即產生；剛認為非時，是即開始。

79. "因是"兩句：意謂是非皆因與對方的相互依存而產生。

80. 聖人：指得道之人。不由：不取。照：鑒別。天：指自然天道。三句意謂：因此聖人不用分辨是非，而讓自然天道去鑒別事物的本然，順應是非的自然發展。

81. "是亦"兩句：謂若從事物相互轉化的觀點而言，則此即彼，彼亦即此。

82. "彼亦"兩句：謂若從事物相互對立的觀點而言，彼有彼的是非，此有此的是非。

83. 彼是：彼此，即是非。句意謂若是非融合於大道，果真還有是非存在嗎？

84. 偶：對，指矛盾的對立面。樞：樞要。兩句意謂：彼此超脫了是非，就叫掌握了大道的樞要。

85. 環：門的上下兩橫檻之洞，圓空如環，能承樞旋轉。兩句意謂：掌握了道的樞要，就好像進入環的中心，便能順應是非的無窮變化。

86. "是亦"兩句：謂按照是非的觀點而論是非，"是"是無窮的，"非"也是無窮的。

以指喻指之非指，不若以非指喻指之非指也；[87]以馬喻馬之非馬，不若以非馬喻馬之非馬也。[88]

天地一指也，萬物一馬也。[89]

可乎可，不可乎不可。[90]道行之而成，物謂之而然。[91]惡乎然？然於然。[92]惡乎不然？不然於不然。[93]物固有所然，物固有所可。[94]無物不然，無物不可。[95]故為是舉莛與楹，厲與西施，恢恑憰怪，道通為一。[96]

其分也，成也；[97]其成也，毀也。[98]凡物無成與毀，復通為一。[99]唯達者知通為一，為是不用，而寓諸庸。[100]庸也者，用也；[101]用也者，通也；[102]通也者，得也。[103]適得而幾矣。[104]因是已，已而不知其然，謂之道。[105]勞神明為一，而不知其同也，謂之朝三。[106]何謂"朝三"？狙公賦芧，曰："朝三而暮四。"[107]眾狙皆怒。曰："然則朝四而暮三。"眾狙皆說。名實未虧，而喜怒為用，亦因是也。[108]是以聖人和之以是非，而休乎天鈞，是之謂兩行。[109]

注釋

87. 喻：說明。兩句意謂：用手指說明手指不是手指，不如用非手指說明手指不是手指。按：這幾句，是針對當時名家公孫龍所說"指非指"、"白馬非馬"的論題而發。

88. "以馬"兩句：謂用馬說明馬不是馬，不如用非馬說明馬不是馬。

89. "天地"兩句：意謂若從"道通為一"（即萬物等同）的觀點而言，天地與一個手指，萬物與一匹馬，皆無區別。

90. "可乎可"兩句：意謂人說可，我也說可；人說不可，我也說不可。即"因其所然而然之"（《秋水》）。

91. "道行"兩句：意謂道路是走出來的，事物的名稱是叫出來的。

92. 然：這樣。兩句意謂：為何說是這樣的？它本來是這樣的，所以我認為它是這樣的。

93. "惡乎不然"兩句：為何說不是這樣的？它本來不是這樣的，所以認為它不是這樣的。

94. 固：本來。兩句意謂：事物本來即這樣，本來就是可以的。

95. "無物"兩句：謂沒有事物不是這樣，沒有事物不可以。按：王先謙云："'不然於不然'下，似應更有'惡乎可？可於可。惡乎不可？不可於不可'四句，而今本奪之。"（《莊子集解》）可參。

96. 莛（tíng）：草莖。楹：屋柱。厲：病癩，指醜女。恢：宏大。恑：通"詭"，詭秘。憰（jué）：通"譎"，欺詐。怪：怪異。"故為"四句：意謂從道的觀點而言，小草與屋柱，醜婦與美女，萬物的恢恑憰怪之異態，都是一樣的，並無不同。

97. "其分"兩句：謂一事物的分解，即另一事物的形成。

98. "其成"兩句：謂一事物的形成，即另一事物的毀滅。

99. 通：渾然相通。兩句意謂：事物並無形成與毀滅的區別，皆是渾然一體的。

100. 達者：通達大道之人。為是：因此。不用：不執己見，區分成毀。寓諸庸：隨從眾人的看法。寓，寄。庸，眾。按：以上三句說明：“達者”是無是非的。

101. “庸也”兩句：謂用眾人的好惡為好惡（釋德清《莊子內篇注》）。

102. “用也”兩句：謂用眾人的好惡為好惡，便能通於大道。

103. “通也”兩句：謂通達於大道，無往而不自得。

104. 適：至。幾：幾近於。句意謂能達到自得，便近於大道了。

105. 因是：謂順物忘懷，即老子“道法自然”之意。已：這是特殊省略，實指前面“因是已”一句。

106. “勞神明”三句：意謂費盡精神欲求事物的一致，而不知萬物本來的同一性，這就叫做“朝三”。

107. 狙（jū）公：養猴的老人。賦芧（xù）：分發橡子。賦，給。朝三而暮四：早上分給三升橡子，晚上分給四升橡子。

108. 名實：指橡子的名與數。未虧：未損。“名實”三句：意謂三、四之名及其總數（七）並未改變，而猴子卻迷惑於顛倒的現象枉施喜怒，養猴老人也就順着眾猴的意思。按：這裡用猴子不懂“名實未虧”的道理，比喻未達道之人，不能忘懷是非。

109. 是以：因此。和：混同。休：止。天鈞：天然均調。鈞，通“均”。是：此。兩行：謂物我內外並行。

　　古之人，其知有所至矣。[110] 惡乎至？[111] 有以為未始有物者，[112] 至矣，盡矣，不可以加矣。其次以為有物矣，而未始有封也。[113] 其次以為有封焉，而未始有是非也。是非之彰也，道之所以虧也。[114] 道之所以虧，愛之所以成。[115] 果且有成與虧乎哉？果且無成與虧乎哉？有成與虧，故昭氏之鼓琴也；無成與虧，故昭氏之不鼓琴也。[116] 昭文之鼓琴也，師曠之枝策也，[117] 惠子之據梧也，[118] 三子之知，幾乎皆其盛者也，故載之末年。[119] 唯其好之也，以異於彼；[120]其好之也，欲以明之，彼非所明而明之，故以堅白之昧終。[121]而其子又以文之綸終，終身無成。[122]若是而可謂成乎，雖我亦成也；若是而不可謂成乎，物與我無成也。[123]是故滑疑之耀，聖人之所圖也。[124]為是不用而寓諸庸，此之謂以明。[125]

今且有言於此，不知其與是類乎？其與是不類乎？[126]類與不類，相與為類，則與彼無以異矣。[127]雖然，請嘗言之。[128]有始也者，有未始有始也者，有未始有夫未始有始也者。[129]有有也者，有無也者，[130]有未始有無也者，有未始有夫未始有無也者。俄而有無矣，而未知有無之果孰有孰無也。[131]今我則已有謂矣，而未知吾所謂之其果有謂乎，其果無謂乎？[132]

注釋

110. 人：指古時真人，即悟道者。知：通"智"。有所至：謂其智慧達到最高境界。至，極。

111. 惡乎至：謂怎樣達到最高境界。惡：何。

112. 未始有物：未曾有任何東西。

113. 封：域，即彼此界限。

114. 彰：彰明，顯現。虧：虧損。

115. 愛：私愛，偏愛。

116. 故：則。昭氏：古代善彈琴者，姓昭，名文。鼓：彈。按：作者以彈琴做比，認為聲音是不能全部彈奏出來的，就像昭氏彈琴，彈奏出來的樂聲叫成，被遺漏的樂聲叫虧。昭氏沒有彈琴，也就不存在成與虧。言外之意，說明"無成與虧"，便無是非。

117. 師曠：中國春秋時代晉平公之樂師，目盲，善解音律。枝策：持杖擊打樂器。枝，猶持，持而擊之曰"枝"。策，擊樂器之物，或謂"杖"。

118. 惠子據梧：意謂惠施倚靠梧桐樹而辯論。按：莊子認為，惠子辯論雖成，而大道已虧。

119. 三子：指昭文、師曠和惠施。載：從事。末年：晚年。

120. 其：指三子。好：所好。彼：指天下之人。

121. 欲以明之：想用自己所好去教誨別人。彼非所明而明之：謂並非別人必須明白的，而卻強制性地要人明白。堅白：即"堅白論"，是戰國時代名家公孫龍的著名論題之一。以公孫龍為首的名家，主張"離堅白"，認為視覺只能看到石頭的白色而看不到它的堅硬，觸覺只能摸到石頭的堅硬而摸不到它的白色。因此，認為石頭之堅硬與其色白是分離的（《公孫龍子·堅白論》）。以墨子為首的一派，則主張"盈堅白"，認為堅硬與白色同是石頭的屬性，二者不可分離（《墨經·經說》）。昧終：謂堅持其暗昧的論題以終其身。按：這裡獨指惠子而言（釋德清《莊子內篇注》）。或謂指三子，或謂指公孫龍，皆與文義不符。

122. 綸：琴瑟之弦，代指彈琴。兩句：意謂昭文之子，又以學習彈琴而終其身。按：清代林雲銘、胡文英等以"其子"為惠施之子，或謂為後世學子，皆非。

123. 若是：謂若三子之技（指鼓琴、枝策、據梧辯論）。我：作者自稱。按：此四句意在說明，以大道觀察，三子小技，非但無成，反而有害於大道。

124. 滑疑：滑亂疑惑。耀：明。圖：謀，期望。兩句意謂：惠施之輩滑亂迷惑人心而使人更不明白，這正是聖人預料到的結果。

125. "為是"兩句：謂聖人不言說是非，只是順從世人，這叫做讓世人用大道觀照明白事物的變化。按：此段說明惠施輩滑疑人心，

終身無成；道人順自然，不言是非，便能讓世人明白事物的真
諦。

126. 是：下文彼字，指其他論者。類：同。三句謂：現在我在此說幾
句話，不知與其他論者相同，還是不相同。

127. 相與為類：謂我與他們都在說話。無以異：謂彼此說話，沒有甚
麼不同。

128. 嘗：嘗試。

129. 有始也者：謂宇宙萬物有形象顯現之時。

130. “有有”兩句：謂宇宙初始時，有“有”，也有“無”。

131. 俄而：忽然。有無：謂宇宙進入“有”與“無”的階段。果：果
真。孰：是。

132. 有謂：有言說。按：王先謙云：“合於道為言，不合則有言與無
言等。”（《莊子集解》）

　　天下莫大於秋豪之末，而大山為小；莫壽於殤子，而
彭祖為夭。[133] 天地與我並生，而萬物與我為一。[134] 既已
為一矣，且得有言乎？[135] 既已謂之一矣，且得無言乎？[136]
一與言為二，二與一為三。[137] 自此以往，巧歷不能得，
而況其凡乎！[138] 故自無適有，以至於三，而況自有適有
乎！[139] 無適焉，因是已。[140]

　　夫道未始有封，言未始有常，[141] 為是而有畛也。[142]
請言其畛：有左有右，有倫有義，[143] 有分有辯，有競有
爭，[144] 此之謂八德。[145] 六合之外，聖人存而不論；[146] 六
合之內，聖人論而不議；[147] 春秋經世先王之志，聖人議而
不辯。[148]

故分也者，有不分也；[149] 辯也者，有不辯也。[150] 曰：何也？聖人懷之，眾人辯之以相示也。[151] 故曰：辯也者，有不見也。[152]

夫大道不稱，[153] 大辯不言，[154] 大仁不仁，[155] 大廉不嗛，[156] 大勇不忮。[157] 道昭而不道，言辯而不及，仁常而不周，廉清而不信，勇忮而不成。[158] 五者圜而幾向方矣。[159] 故知止其所不知，至矣。[160] 孰知不言之辯，不道之道？[161] 若有能知，此之謂天府。[162] 注焉而不滿，酌焉而不竭，而不知其所由來，此之謂葆光。[163]

注釋

133. 秋豪：即秋毫，秋天鳥獸新生的毫毛。豪，通"毫"。大山：即泰山。大，通"太"，亦即泰。殤子：死在襁褓中的小兒，生命極短。彭祖：長壽之人，見《逍遙遊》注。夭：夭折。

134. 為一：渾然一體。

135. 有言：有言說。

136. 無言：沒有言說。

137. 一：指萬物。二：指我的話。三：指我所說話的"彼"。

138. 巧歷：善於計數的人。歷，歷數，計算。凡：凡夫。

139. 適：推算。

140. 因是：順應自然。

141. 封：域，界限。常：恆常，在此有執定不化之意（釋德清說）。兩句意謂：大道未曾有人我、是非、彼此界限，"至言"本無不當，未曾有是非之定說。

142. 畛（zhěn）：界限。句意謂只因為有了"是"，方劃出許多界限。

143. 有左有右：古代以右為尊，言左右，謂為尊卑。倫：理序。義：通"儀"，儀則。

144. 分：剖其大端：辯：通"辨"，辨別細微曲折。競：並逐為競。爭：角勝為爭。

145. 德：能（釋德清說）。

146. 六合：指天地和東西南北四方。聖人：指"心與道合"的智者（釋德清說）。論：論說。

147. 議：評議。

148. 春秋經世先王之志：即"春秋先王經世之志"。春秋，泛指古史，如"周春秋"、"燕春秋"、"齊春秋"等。經世，謂治理天下。志，記載。

149. "故分"兩句：謂天下事理有能區分的，也有不能區分的。

150. "辯也"兩句：謂天下事理有能辨別的，也有不能辨別的。

151. "聖人"兩句：謂聖人不分不辨，懷之於心；而一般人斤斤於辨別，以誇示於人。

152. "辯也"兩句：謂辯論，在於沒有看到道的廣大（王先謙《莊子集解》）。

153. 大道不稱：大道本無稱謂。按：老子曰："吾不知其名，字之曰道，強為之名曰大。"（《道德經》）

154. 大辯不言：謂善於辯論者不用言說折服他人。

155. 大仁不仁：謂最有仁愛者而泛愛無心，並非有意為仁。

156. 大廉不嗛（qiān）：謂最有節操的人不特意表現謙遜。嗛：通"謙"，謙遜。

157. 忮（zhì）：害。

158. 昭：明。周：周全。信：實。不成：不能成有道義之人。

159. 圜：通"圓"。句謂以上五種，猶如慕圓而幾乎近於方了。

160. "故知"兩句：謂能知道止於其所不能知者，就是達到其知的頂點了。

161. 不言之辯：不用言說的辯論。按：承上文“大辯不言”而來。不道之道：不用稱說的大道。按：承上文“大道不稱”而來。

162. 天府：以自然為府藏。天，自然。府，儲存財物之所。

163. 注：注入。酌：酌取。葆光：包藏光亮而不露。葆，通“包”，隱藏。按：開篇至此，“天地與我並生，萬物與我為一”的“齊物論”宗旨，則完全表述出來。下面所設三喻，又用旁比曲喻手法，曲折而深入地闡明主旨。

故昔者堯問於舜曰：“我欲伐宗、膾、胥敖，南面而不釋然。[164] 其故何也？”[165] 舜曰：“夫三子者，猶存乎蓬艾之間。[166] 若不釋然，[167] 何哉？昔者十日並出，[168] 萬物皆照，而況德之進乎日者乎！”[169]

齧缺問乎王倪曰：“[170]子知物之所同是乎？”[171] 曰：“吾惡乎知之！”“子知子之所不知邪？”曰：“吾惡乎知之！”“然則物無知耶？”曰：“吾惡乎知之！雖然，嘗試言之。庸詎知吾所謂知之非不知邪？[172] 庸詎知吾所謂不知之非知邪？且吾嘗試問乎女：[173]民濕寢則腰疾偏死，鰍然乎哉？[174] 木處則惴慄恂懼，[175] 猨猴然乎哉？三者孰知正處？[176] 民食芻豢，麋鹿食薦，蝍蛆甘帶，鴟鴉耆鼠，四者孰知正味？[177] 猨猵狙以為雌，麋與鹿交，鰍與魚游。[178] 毛嬙、麗姬，[179] 人之所美也；魚見之深入，鳥見之高飛，麋鹿見之決驟。[180] 四者孰知天下之正色哉？自我觀之，仁義之端，是非之塗，樊然殽亂，吾惡能知其辯！”[181] 齧缺曰：“子不知利害，則至人固不知利害乎？”[182]

王倪曰：“至人神矣！大澤焚而不能熱，河漢沍而不能寒，[183] 疾雷破山、飄風振海而不能驚。[184] 若然者，乘雲氣，騎日月，而遊乎四海之外。死生無變於己，[185] 而況利害之端乎！”

注釋

164. 宗、膾、胥敖：虛構的三個小國名。南面：君位，指臨朝聽政。不釋然：謂放不下心。或謂“釋”通“懌”，怡樂。

165. 故何：即“何故”。

166. 三子：指三國之君。蓬艾：以蓬艾比喻其處地，謂其不足介蒂於胸。

167. 若：通“汝”，你。

168. 十日並出：此乃神話傳說，《淮南子·本經訓》云：堯時，十日並出，焦禾稼，殺草木，民無所食，堯使羿（善射能手）上射十日。而莊子是說十日普照萬物，無所偏私，與《淮南子》所說不同。

169. 德：道德。進：勝過，超過。

170. 齧缺、王倪：虛構人物。

171. 同是：共同之處。

172. 庸詎（jù）：怎麼，哪裡。庸，何。詎，與“庸”同意。

173. 女：通“汝”，你。

174. 偏死：半身枯死，即半身不遂。偏，通“瘺”，半枯。鰍：泥鰍。

175. 木處：登樹高處。惴栗恂（xún）懼：驚恐戰慄的樣子。

176. 三者：指人、泥鰍和猿猴。正處：真正安適的居處。

177. 芻豢（chú huàn）：家畜。食草者謂芻，食糧者謂豢。薦：美草。蝍蛆（jí jū）甘帶：蜈蚣愛食蛇。蝍蛆：蜈蚣。甘：愛吃。
帶，蛇。鴟（chī）鴉：貓頭鷹。耆：通“嗜”，喜好。正味：
可口的味道。

178. 猨猵狙（bīn jū）以為雌：謂雄性猵狙愛與雌猿做配偶。猵狙，
猿類，故謂猨猵狙，多毛，頭似狗。游：交合。

179. 毛嬙、麗姬：皆古代美女。

180. 決驟：疾馳。

181. 四者：指人、魚、鳥和麋鹿。正色：真正的美色。按：以上說
明，判斷正確與否，是沒有客觀標準的。下面便說明仁義和是
非，也無法辨別。端：頭緒。塗：通“途”，途徑。樊然殽亂：
紛然雜亂。辯：通“辨”，辨別。

182. 至人：指得道之人。固：本來。

183. 澤：水澤，即窪地。窪地灌木叢生，故能燃燒。河：指黃河。
漢：指漢水。冱（hù）：凍。

184. 疾雷：炸雷。飄風：大風。

185. 己：己身，指至人。

　　瞿鵲子問乎長梧子曰：[186]“吾聞諸夫子：[187]‘聖人不
從事於務，不就利，不違害，不喜求，不緣道；[188]無謂有
謂，有謂無謂，而遊乎塵垢之外。’[189]夫子以為孟浪之
言，而我以為妙道之行也。[190]吾子以為奚若？”[191]

　　長梧子曰：“是皇帝之所聽熒也，[192]而丘也何足以知
之！且女亦大早計，見卵而求時夜，見彈而求鴞炙。[193]予
嘗為女妄言之，女以妄聽之。[194]奚旁日月，挾宇宙，為
其吻合，置其滑涽，以隸相尊。[195]眾人役役，聖人愚
芚，參萬歲而一成純。[196]萬物盡然，而以是相蘊。[197]予

惡乎知說生之非惑邪！[198] 予惡乎知惡死之非弱喪而不知
歸者邪！[199]

注釋

186. 瞿鵲子、長梧子：皆為虛構人物。

187. 夫子：指孔子。

188. 聖人：指得道之人。務：事務，指俗事。違害：避害。緣道：踐
跡行道。緣，踐跡。大道無心相合，故曰"不緣道"。

189. 無謂：無言。有謂：有言。塵垢：指世俗。按：老子曰："行不
言之教。"（《老子》）

190. 孟浪之言：無稽之言，不着邊際之言。妙道之行：大道的表現。

191. 吾子：先生。奚若：何如。奚，何。

192. 皇帝：一作"黃帝"。聽熒（yíng）：聽之而惑。熒，惑。

193. 女：通"汝"，你。大早計：謀慮過早。時夜：司夜，謂報曉
雞。時，通"司"。鴞（xiāo）炙：烤熟的鴞鳥肉。鴞，形似斑
鳩而大，毛青綠，肉美。

194. 妄言：隨便說。妄聽：姑且聽之。

195. 旁：依靠。挾：懷抱。為其吻合：與宇宙萬物混然一體。與"萬
物與我為一"同意。置：任。滑涽（hūn）：滑亂昏暗。滑，亂。
涽，暗。以隸相尊：把卑賤與尊貴看做一樣。隸，奴僕。

196. 役役：勞役不息的樣子。愚芚（chūn）愚昧渾然無知的樣子。
芚，渾然無知之態。參：糅雜，調和。萬歲：古今。一成純：完
全返璞歸真。純，純樸。

197. 相蘊：相互蘊積包裹。

198. 說：通"悅"，樂。惑。困惑。

199. 弱喪：謂自幼喪失家鄉者。

"麗之姬，艾封人之子也，[200]晉國之始得之也，涕泣沾襟；及其至於王所，與王同筐床，[201]食芻豢，而後悔其泣也。予惡乎知夫死者不悔其始之蘄生乎！[202]夢飲酒者，旦而哭泣；夢哭泣者，旦而田獵。[203]方其夢也，[204]不知其夢也。夢之中又占其夢焉，覺而後知其夢也。[205]且有大覺而後知此其大夢也。[206]而愚者自以為覺，竊竊然知之。[207]君乎，牧乎，固哉丘也！[208]與女皆夢也，[209]予謂女夢，亦夢也。是其言也，其名為弔詭。[210]萬世之後而一遇大聖，知其解者，是旦暮遇之也。[211]

"既使我與若辯矣，[212]若勝我，我不若勝，[213]若果是也，我果非也邪？我勝若，若不吾勝，我果是也，而果非也邪？[214]其或是也，其或非也邪？[215]其俱是也，其俱非也邪？我與若不能相知也，則人固受其黮闇，吾誰使正之？[216]使同乎若者正之？既與若同矣，惡能正之！使同乎我者正之？既同乎我矣，惡能正之！使異乎我與若者正之？既異乎我與若矣，惡能正之！使同乎我與若者正之？既同乎我與若矣，惡能正之！然則我與若與人俱不能相知也，而待彼也邪？[217]

"何謂和之以天倪？[218]曰：是不是，然不然。[219]是若果是也，則是之異乎不是也，亦無辯。[220]然若果然也，則然之異乎不然也，亦無辯。化聲之相待，若其不相待，和之以天倪，因之以曼衍，所以窮年也。[221]忘年忘義，振於無竟，故寓諸無竟。"[222]

罔兩問景曰：[223]"曩子行，[224]今子止；曩子坐，今子起。何其無特操與？"[225]景曰："吾有待而然者邪？[226]吾所待又有待而然者邪？吾待蛇蚹蜩翼邪？[227]惡識所以然，惡識所以不然！"[228]

昔者莊周夢為胡蝶，栩栩然胡蝶也。自喻適志與，[229]不知周也。俄然覺，則蘧蘧然周也。[230]不知周之夢為胡蝶與，胡蝶之夢為周與？周與胡蝶，則必有分矣。[231]此之謂"物化"。[232]

注釋

200. 麗之姬：即驪姬，晉獻公小妻。晉獻公攻打驪戎，獲驪姬，納為寵妻。艾封人：驪戎國艾封守封疆的人。子：女兒。

201. 王：指晉獻公。筐床：安適之床。

202. 蘄（qí）：祈，求。按：這裡說明人的認識本無固定，亦無固定之是非。

203. 田獵：打獵。田，通"畋"。

204. 方：正當。

205. 占：占卜。

206. 大覺：最清醒的人，指得道者。

207. 竊竊然：明察的樣子。

208. 牧：牧夫。固：固執鄙陋。三句謂：愚昧之人在喊叫："高貴的君主呀！卑鄙的牧夫呀！"孔丘真是固執鄙陋得很呀！

209. 女：通"汝"，你，指瞿鵲子。

210. 是：此。吊詭：至怪。吊，至。詭，怪（釋德清說）。

211. 大聖：指最清醒的聖人。知其解者：謂能悟出其中的道理。<u>且</u>

暮：早晚，謂時間流逝甚快。按：瞿鵲子與長梧子的問答，說明夢與覺並無區別，故得道者不強分是非彼此，而與宇宙萬物混同為一。

212. 我：長梧子自稱。若：你，指瞿鵲子。

213. 若勝：即"勝若"。

214. 而：通"爾"，你。

215. 其：推測之辭。或是：有一個是對的。

216. 人：謂別人。黮（dàn）暗：暗昧不明的樣子。這裡謂不明白，糊塗。

217. 彼：指造化，即下文的，"天倪"，亦即上文的"天均"。而待彼也：謂只有等待自然來評定了。

218. 天倪：即"天均"，自然的平均。《莊子·寓言》篇："天均者，天倪也。"

219. "是不是"兩句：謂"是"便是"不是"，"然"便是"不然"。

220. "是若"三句：謂"是"假若果真是"是"，那麼"是"與"不是"是不相同的，也用不着爭辯了。

221. 化聲：無而忽有謂化。指空谷之響（釋德清說）。相待：相對待，即對立。因：因循，順應。曼衍：變化發展。窮年：盡年，即享盡天年。

222. 忘年忘義：忘記歲月和義理。振：振動鼓舞，含有"逍遙"之義。竟：通"境"，境界。無竟：即"無何有之鄉"。

223. 罔兩：影外之陰，或謂影外之影。景：通"影"，影子。

224. 曩（nǎng）：從前。

225. 特：獨。操：志操。

226. 待：依賴。句意謂我有所依賴才這樣的。

227. 蛇蚹（fù）：蛇皮。蚹，鱗皮。蜩翼：蟬翼。句意謂我依賴形體行止，就像蛇憑藉鱗皮而行和蟬憑藉翅膀而飛吧？

228. 惡識：怎麼知道。惡，何。識，知。

229. 喻：曉，覺得。適志：快意。

230. 俄然：突然。蘧蘧（qú）然：驚醒的樣子。

231. 有分：有區分。

232. 物化；萬物化而為一。按：萬物化而為一，則了無人我是非之辯，"物論"不齊而自齊（釋德清說）。莊周夢蝶的寓言，曾引起古今不少文人墨客的極大興趣，演繹出許多不同形式的藝術傑作，而成為人們津津樂道的佳話。

串講

　　南郭子綦憑几而坐，精神木然，好像喪失掉形體。其弟子顏成子游問道："你怎麼會這樣呢？形體能像枯木、心能像死灰那樣嗎？你現在與過去的情況不同了。"子綦答道："今天我忘掉我，你知道嗎？你只聽見人籟，未聽見地籟；你聽見地籟而並未聽見天籟。"

　　子游說："請問三籟的情形。"於是子綦就把地籟的情形給他描寫一番。子游說："地籟是眾竅穴發出的聲音，人籟是竹管發出的樂聲。請問天籟呢？"子綦說："所謂天籟，是風吹千萬個竅穴發出的不同聲音。"

　　大智者廣博安詳；小智者固執偏狹。詮理大言，雄辯激烈；淺薄小言，囉哩囉嗦。人在夢中會與別人無故結交，睡醒時便很清醒。與人結交，出於愛憎，便會勾心鬥角。各人的情況也不同，有人寬心，有人深沉，有人精心。小怕便憂懼不安，大怕則驚恐失神。有人出言突然，如弓箭疾發，挑起是非。有人默不作聲，等待機宜，以戰勝對方。他們有時神情衰敗，猶如秋冬，喪失鬥志；有的沉溺寡言，難以恢復本性；有的心靈閉塞，好似衰老枯竭了；有的心神接近死亡，不能恢復生氣。他們喜怒哀樂，多思、多悲、反覆、恐懼、輕浮、縱逸、狂放，故作姿態。像音樂產生於虛空的樂器，又像朝菌由地氣蒸發而生成。各種情態日夜更替出現，而並不知從何萌生。他們早晚會知道此種情態是從哪裡產生的，會明白它們產生的根源。

人是相互依存的，沒有以上各種情態，便沒有我；沒有我，它們也無從顯現。人們能認識相互依存的關係，就近乎大道了，卻不知誰在主宰。好像有"真宰"主持，又看不見其跡象。"真宰"的行動能夠驗證，而看不到其形體，它的確存在。百骸、九竅、六臟皆存於我身，我與誰最親呢？同樣喜歡、還是有偏愛？如果同樣喜歡，把它們當做臣妾，它們還能互相制約嗎？還是輪流做君臣？是否另有所主宰？無論尋找到主宰與否，它們的自然本性並不會有增減。人的形性一旦形成，不保住本性，雖不即死，也等於坐以待斃。與外物相摩擦，馳向死亡，尚不知停，不是很可悲嗎？終身奔忙，不見成功，總是困頓疲倦，不知歸宿，能不悲哀嗎？不死，又有何益呢？人的形體衰老了，精神也隨之衰竭殆盡，能說不是極大的悲哀嗎？人生於世，本來就是昏昧無知的。只有我昏昧無知嗎，世人也有不昏昧無知的嗎？

假若以個人的成見做為判斷是非的標準，何必只有懂得事物變化之理的智者，才有判斷是非的標準呢？愚蠢之人也會有標準。心中先有是非，就好像今天去越國而昨天就到了那樣可笑。這就是把無有當做有。把無有當做有，雖神明像大禹，尚且不能理解，我又怎能理解呢？

言論與風吹穴竅不同。人各持偏見，他們的話並不能做為判斷是非的標準。大道隱晦，為何就會有真偽呢？“至言”隱晦，為何就會有是非呢？大道無處不在，為何去而不存？“至言”無所不可，為何又不被認可？大道被偏見所隱晦，言論被浮誇不實之辭掩蓋，所以便產生儒、墨的是非之辯。他們各以對方否定的為是，以對方肯定的為非。他們這樣做，不如明於大道而用虛靜的心靈觀照事物。

　　以我觀物，物皆為彼；以物自觀，物皆為此（物）。從彼方觀察此方，不見此方的是處；此方自視，自知其全是。所以說：彼方由此方而產生；此方亦因彼方而存在。所謂“彼此”的說法，不過是惠施“方生方死”的說法罷了。雖然，方生即死，方死卻又復生；剛認為是時，非即產生；剛認為非時，是即開始；是非相互依存而產生。聖人不分辨是非，讓天道鑒別，順應自然發展。此即彼，彼亦即此。彼有彼的是非，此有此的是非。超脫是非，就叫掌握道的樞要。掌握了道的樞要，就好像進入環之中心，便可順應是非的無窮變化。是無窮，非亦無窮。所以，不如用虛靜之心去觀照事物而明於大道之理。

　　用手指說明手指不是手指，不如用非手指說明手指不是手指；用馬說明馬不是馬，不如用非馬說明馬不是馬。天地與一個手指，萬物與一匹馬，都是沒有區別的。

　　人說可，我也說可。人說不可，我也說不可。道路是走出來的，事物的名稱是叫出來的。為何說是這樣的？事物本來是這樣的，本來即是可以的。從道的觀點而言，小草與屋柱，醜婦與美女，萬物的各種狀態，都是一樣的。

　　一事物的分解，即另一事物的形成；一事物的形成，即另一事物的毁滅。事物並無形成與毁滅的區別，都是渾然一體的。只有通達大道的人，才知道事物渾然一體的道理，因此他是不會區分事物的形成與毁滅的，只是順從眾人的看法罷了。所謂順從眾人，即以眾人之好惡為好惡，就能通達於大道。能通達大道，便能無往而不自得。能了無是非，順物忘懷，渾然一體，不知其所以然，這就叫做“道”。未得道之人，想求得事物的一致，不知萬物的同一性，這就叫做“朝三”。為何叫“朝三”？養猴老人給猴子分發橡子，早上給三升，晚上給四升，猴子們聽了大怒。老人改口說：就早上給四升，晚上給三升吧，猴子們聽了都非常喜悅。這是以猴子比喻不通達大道之人。“聖人”（即道人）能混同是非，任憑自然均調，這就叫物與我並行發展。

古代的得道者，智慧達到了最高境界。他能認識到，在宇宙未形成之初，不曾存在東西，可謂極其深刻，無以復加了。比得道者次一等的人，雖然認為宇宙形成之初存在事物，而並無彼此界限。再次一等的人，雖然認為事物有彼此界限，而並無是非之不同。是非出現了，大道就虧損了。果真會有形成與虧損嗎？有形成與虧損，就像昭氏彈琴；沒有形成與虧損，就像昭氏沒有彈琴。所以昭文善彈琴、師曠善解音律、惠施善辯論，其三人之技智，可謂皆極為高超了，他們皆以事業而終身。他們自恃其好，傲視天下；又用其偏愛，去教誨別人；並非別人必須明白的問題，卻強迫別人明白。尤其惠施以“堅白”的暗昧論題以終其身。昭文之子，雖學鼓琴以終其身，卻終身沒有學到其父的彈琴本領。假若他們的技藝也算是成功，而像我這樣也算有成功了；假若他們不算有成功，他們與我都沒有成功。惠施之輩滑疑人心，更加讓人糊塗。得道聖人，不言說是非，順從眾人，便能讓世人用大道明白事物的變化。

　　宇宙萬物形成之初，有形象顯現之時也有未顯之時，也有未曾顯現之前之時。宇宙萬物產生之初有"有"，也有"無"；還有未曾有"有"與"無"，更有有"有"與"無"之前之時。宇宙突然產生了"有"和"無"，而不知"有"和"無"，果真是"有"和"無"否。現在我有言說了，不知我的言說，是否真有言說。

　　宇宙未產生萬物時秋毫就是最大的東西，宇宙產生了萬物而泰山就顯得很小。宇宙未有生命時殤子就是長壽者，宇宙出現長壽者而彭祖就變成短壽的人。從道家的觀點而言，天地與我共生，萬物與我渾然一體。萬物渾然一體，沒有區別，還有甚麼可說呢？渾然一體的萬物為一，加上我的話，就成為二；二加上言說者"彼"，就成為"三"。以此類推下去，巧歷也不能計其數，何況凡夫俗子呢！從"無"可推至"有"、推至三，何況從"有"推算到"有"呢！沒有必要如此推算下去，還是順應自然的好！

　　大道沒有界限，"至言"沒有是非，有了"是"字，才劃出界限。界限的區別：有尊卑之序，有親疏和貴賤的理、儀，有分辯和競爭，這就叫儒、墨之流爭論的才能。六合之外的事，聖人不論說；六合之內的事，聖人只論其大綱。古史是先王治理天下的記載，聖人只議論其內容，不評說其是非曲直。

　　天下的事理，有能區分的，也有不能區分的；有能辯說的，也有不能辯說的。為何呢？聖人懷之於心，不示於人，常人則喋喋不休地爭辯，以誇示於人。他們沒有看到道的廣大。

大道本來沒有稱謂，善辯者不用言說折服人，最有仁愛者並非有意為仁，最廉潔的人不特意謙遜，最勇敢的人不傷害人。大道昭昭，並非道；逞言肆辯，就有表達不到之處；仁者恆愛，必有不周；廉潔自立清名，往往並無實德；逞血氣之勇而傷害人，就不能成為有道者。這五種現象，猶如慕圓卻幾乎近於方。能知道止於所不能知，就達到知的極點了。誰能知道不用言說的辯論，不用稱說的大道呢？若有人知道，就叫做以自然為府藏。大道，注而不滿，酌而不竭，不知道它是怎樣形成的，這就叫包藏光亮而不露。

從前，堯問舜說："我想征伐宗、膾、胥敖三個小國，每當臨朝聽政時總心神不寧。這究竟是何原因？"舜說："那三個小國之君，像生存蓬艾之中，你心神不寧，又為何呢？古代十日並出，普照萬物，何況你的道德超過太陽呢！"

齧缺問王倪說："你怎麼知道宇宙萬物有共同之處呢？你知道你不知道的東西呢？"王倪說不知道。齧缺問："你對宇宙萬物都不知道？"王倪說："你怎麼知道我說的知道而不是不知道呢？你怎麼知道我說不知道而是知道呢？我問你：人睡在潮濕的地方，就會患腰病或半身不遂；泥鰍在泥中也會像人這樣嗎？人住在樹上，就會驚恐戰慄，猿猴也會這樣嗎？人、泥鰍和猿猴，誰居住的方式最好？人吃家畜的肉，麋鹿吃草，蜈蚣吃蛇腦，貓頭鷹和烏鴉吃老鼠，誰知道甚麼才是可口呢？雄猵狙愛與雌猿配偶，麋與鹿交合，泥鰍與魚性交。毛嬙、麗姬是美女，魚看見便深潛水底，鳥看見便高飛，麋鹿看見便疾馳，四者誰知道美色呢？以我看來，所謂仁義、是非，皆紛然雜亂，是無法區分的。"齧缺說："你不知道利與害，難道至人也不知道嗎？”王倪說：“至人神極了！澤地草木燃燒不能使他感到熾熱，河漢之水冰凍不能使他寒冷，迅雷劈山、大風翻江倒海也不能使他震驚。他乘雲氣，騎日月，遨遊四海之外，生與死都對他不能產生影響，何況利與害呢？”

瞿鵲子問長梧子說：“我從孔丘那裡聽說：得道之人不做俗事，不貪利，不避害，無求於世，不踐跡行道，不言如同有言，有言如同無言，超然遊於物外。孔丘認為這都是不切實際之言，我卻認為是大道的表現。先生認為如何？”

長梧子說：“這些話黃帝聽了也會迷惑，孔丘怎能懂得呢。你也操之過急了，看到雞蛋就想得到報曉的公雞，看到彈丸就想得到烤熟的鴞鳥肉。我是隨便說說，你也就隨便聽聽。為何不依傍日月，懷抱宇宙，與萬物渾然一體，任其混亂錯雜，把卑賤與高貴看成一樣呢？凡人勞役不息，聖人安於愚昧，糅合古今而成其純樸。萬物皆如此，都相互包裹，不分是非與生死。我怎麼能知道貪生不是困惑？又怎麼知道厭惡死亡就像幼兒流落他鄉而老大不知回歸故里呢？

“驪姬，是驪戎國艾封人的女兒。當初晉獻公得到她時，她涕泣沾襟；到了王宮，與國王同睡安適之床，吃美味，便後悔當初不該哭泣了。我又怎麼知道死人不後悔當初的貪生呢？夜裡夢見飲酒作樂的人，早上可能會悲傷而哭泣；夢裡痛哭的人，天明可能高興得去打獵。正當做夢的人，並不知道是在做夢。夢中還占卜做夢的吉凶，醒來方知是在做夢。只有覺醒的聖人，才能知曉人生如夢。愚昧的人，自以為清醒，好像甚麼都知道，他在喊道：‘高貴的君主，卑賤的牧夫！’孔丘真是固執卑陋得很呀！我與你都是在做夢，我說你在做夢，我也是在夢中說夢。這樣的夢話，可謂是奇談怪論。萬世之後，偶爾遇見大聖，便會悟出其中道理，就好像在旦暮之間一般。

"即使我長梧子與你瞿鵲子辯論，你勝我，我沒勝你，你果真正確，我果真錯誤嗎？我勝你，你沒勝我，我果真正確，你果真錯誤嗎？或者我們有一人正確、一個錯誤嗎？我與你皆無法知道。世人本來就暗昧茫然，又能讓誰做正確的評定呢？使與你看法相同的人來評判，既然與你觀點相同，怎麼能做出公正的評判呢？使與你和我意見相同的人來評判，又怎麼能做出公正的評判呢？既然如此，只有等待造化來評判了。

"甚麼叫做自然天平來調和是非呢？即是說："是'便是'不是'，'然'便是'不然'。'是'果真是'是'，'是'與'不是'是不相同的，也用不着爭辯了。'然'假若果真是'然'，'然'與'不然'不相同，這也用不着爭辯了。辯論中的是與非，就像空谷中不同聲音那樣對立，使其不對立，就要自然天平去調和，任其變化發展，這樣便可不損害生命而享盡天年。能夠忘記歲月和義理，逍遙於無物之境，便能終身寄託於無是非、然否的自由境界了！"

影外之陰對影子說："從前你行，現在你止；從前你坐，現在你起。你為何沒有獨立的志操呢？"影子說："我有所依賴才這樣的，我所依賴的又有所依賴才這樣的。我依賴形體行止，就像蛇憑藉鱗皮而行和蟬憑藉翅膀飛行，我怎麼知道為甚麼這樣的呢？為甚麼不這樣的呢？"

從前，莊周夢見自己變成蝴蝶，栩栩如生的一隻蝴蝶。他感到非常愉快，竟然不知自己是莊周。當他突然從夢中醒來，才知道自己還是莊周……不知莊周夢中變成蝴蝶呢，還是蝴蝶夢中變成莊周呢？莊周與蝴蝶是必然有區分的。莊周夢蝶的現象，從哲學上講就叫做“物化”──萬物化而為一。

評析

　　莊子與孔、孟等諸子不同，他是位奇才。我在拙著《莊子通釋》書中，對莊子其人曾用這樣幾句詩予以概括：“南華老人──哲學家的睿智／文學家的風采／美學家的情趣／思想家的胸懷／自由、灑脫、淡泊的人生！”他是個超凡脫俗的人，他的《莊子》是一部才子奇書。《齊物論》是著名的哲學傑作，也是莊子的代表作之一。莊周為何撰寫《齊物論》，這其中有兩個原因。一是莊周生長的戰國時代，學術思想比較自由，諸子百家，百家爭鳴，著書立說，各抒己見，非其所是，是其所非，“物論”不齊，莫衷一說。這便促使莊子另闢一番意境，去撰寫《齊物論》。二是社會道德敗壞，假稱仁義，欺世盜名，殘害百姓。正如宋代王安石所說：先王德澤，至莊子之時則衰敗殆盡，“天下之俗，譎詐大作，質樸並散”，雖世之學士、大夫，未有知貴己賤物之道者。於是奪攘於利害之間，趨利不以為辱，殞身不以為怨，漸漬陷溺，不可救藥。莊子為矯正天下之弊，便提出“同是非，齊彼我，一利害”的學說，而撰寫了《齊物論》(《臨川先生文集》)。拋開王安石尊孔崇儒的思想，他的此種看法，還是頗有見地的。關於《齊物論》的題解，清代治莊學者王先謙曾做了精闢的詮釋說：“天下之物之言，皆可齊一視之，不必致辯，守道而已。”(《莊子集解》)

　　具體地說，《齊物論》有三個突出的特點：一是開篇與結尾，遙相呼應，寄寓遙深，耐人尋味；二是提出“齊生死、等萬物"的妙論；三是創立了"相對論"的學說。

　　本篇是哲學名著，同時也是一篇文學散文佳作。它的開頭與結尾，匠心獨運，不同凡響，具有引人入勝和令人索解不盡的餘味。開篇便破空而來，描寫了南郭子綦憑几而坐，仰天而歎，形若槁木，心如死灰，答焉似喪其偶（形）──"吾喪我"的鮮明形象。"吾喪我"三字，含義深刻，即忘掉是非、物我而萬物齊一之意。然後又揭出人籟、地籟、天籟，暗喻"物論"不齊。"三籟"之中，"天籟"虛無縹緲，一片化機。之後，又承"吾喪我"之意，用"大知閒閒"云云，尋出"真宰"，即"真君"（得道之人的化身），與"天籟"相互配合。"天籟"以無聲運化有聲，"真宰"以無形主使有形。"吾喪我"之我，與"天籟"、"真宰"三位一體，皆為齊同萬物的大道化身。經過如此評析，"吾喪我"給讀者留下的懸念，方能迎刃而解，否則它將永遠給一些不深諳莊學的讀者留下不解之謎。

　　本文開頭，便先聲奪人，而其結尾的兩則寓言，則更是韻味無窮。一則是罔兩問影的寓言，對於它的深刻含義，清代著名治莊學者劉鳳苞已經給我們點破，他說："驟讀之，不知從何處落想；細玩之，分明是'吾喪我'三字。"（《南華雪心編》）二則是莊周夢蝶

莊周夢蝶

　　莊周夢蝶這則文學珍品，已經成為千百年來人們津津樂道的文學佳話。古今不少文人墨客，曾經把它當做創作題材，演繹出一些不同形式的藝術傑作。如唐代大詩人李白詩云："莊周夢蝴蝶，蝴蝶為莊周。一體更變易，萬事良悠悠。乃知蓬萊水，復作清淺流。青門種瓜人，舊日東陵侯。富貴故如此，營營何所求？"（《古風》五十九首之九）

的寓言，"借莊周夢為蝴蝶，現身說法，齊而不齊，不齊而齊，而以'物化'一句，結住通篇……非莊生無此妙境也。"（同上）所謂"物化"，即萬物化而為一之意。對於本文開頭與結尾遙相呼應的妙筆，宋代李士表也曾給予評論說："是篇立喪我之子綦，以開'齊物'之端；寓夢蝶之莊周，以卒'齊物'之意。"（《莊子九論·夢蝶》）

本文不僅開頭和結尾，頗有神韻，而其通篇的構思和描寫，文法之變化，亦層出不窮。清代治莊學者林雲銘曾經評價本文說："文之意中生意，言外立言，層層相生，段段回顧，倏而羊腸鳥道，倏而疊嶂重巒。"（《莊子因》）猶如仙女散花，令人應接不暇。此其一。

其二，莊子提出"齊生死，等萬物"的妙論。莊子認為，世上一切矛盾對立的雙方，諸如生與死、貴與賤、美與醜、榮與辱、成與毀、大與小、然與不然、可與不可等等，皆無差別。所謂"道通為一"，即是此意。文中所寫被神化了的"至人"："大澤焚而不能熱，河漢沍而不能寒，疾雷破山、飄風振海而不能驚……乘雲氣，騎日月，而遊乎四海之外。死生無變於己，而況利害之端乎！"這裡所謂的"至人"，正如本文所寫他是"與天地並生，與萬物齊一"的得道者的形象。世上的萬事萬物，都是有差而不相同的。莊子之所以會發出此等高論危言，顯然是出於他對諸子各持偏見而生是生非的不滿。同時，總觀莊子其人其書，即可看到，這種"妙論"，也正表現了其曠達超脫的胸襟。

其三，莊子認為，一切都是相對的，而因他創立了"相對論"的學說。他說："物無非彼，物無非是。""彼出於是，是亦因彼。""是亦彼也，彼亦是也。""彼亦一是非，此亦一是非。"並不存在有彼此、是非的區別。在莊子看來，超脫是非，便能掌握大道的樞要。掌握道的樞要，好像進入了環的中心，就能順應是非而無窮變化。莊子創立的這種"相對論"的學說，含有豐富的辯證思想，給人們觀察自然和社會的問題提供了理論依據。事實證明，歷史上和當今世界許多的自然現象和社會的問題，正是按照莊子的"相對論"學說在演變着。不過，儘管在人類社會，對待是非的標準，不同的國家和民族，不同的時代，不同的人群，各有不同的標準；但也不可否認在不同的國家和民族，或在不同時代，即使在全世界，也還存在相對的真理。這也是被歷史證明而的確存在的客觀事實。由此說明，莊子的"相對論"，並非是完全周延和絕對正確的。

至如文中所寫昭氏鼓琴、師曠枝策、惠子據梧、魚鳥飛潛、麋鹿決驟、見卵求時、見彈求炙等等，也並非是事外逸致，它們都在從不的角度曲折地深化主旨，也並非是可有可無的文字。

養生主

吾生也有涯，而知也無涯。[1]以有涯隨無涯，殆已！[2]已而為知者，殆而已矣！[3]為善無近名，為惡無近刑，[4]緣督以為經，[5]可以保身，可以全生，[6]可以養親，可以盡年。[7]

莊子像　明刊道藏本影印

庖丁為文惠君解牛，[8]手之所觸，[9]肩之所倚，[10]足之所履，[11]膝之所踦，[12]砉然響然，[13]奏刀騞然，[14]莫不中音，合於《桑林》之舞，[15]乃中《經首》之會。[16]

文惠君曰："嘻，善哉！技蓋至此乎？"[17]庖丁釋刀對曰：[18]"臣之所好者道也，進乎技矣。[19]始臣之解牛之時，所見無非牛者；[20]三年之後，未嘗見全牛也。[21]方今之時，臣以神遇而不以目視，[22]官知止而神欲行。[23]依乎天理，[24]批大郤，[25]導大窾，[26]因其固然。[27]技經肯綮之未嘗，而況大軱乎！[28]良庖歲更刀，割也；[29]族庖月更刀，折也；[30]今臣之刀十九年矣，所解數千牛矣，而刀刃若新發於硎。[31]彼節者有間，而刀刃者無厚[32]，以無厚入有間，恢恢其於遊刃必有餘地矣。[33]是以十九年而刀刃若新發於硎。雖然，每至於族，[34]吾見其難為，怵然為戒，[35]視為止，行為遲，[36]動刀甚微，謋然已解，如土委地。[37]

敦煌卷子《莊子郭象注·胠篋》殘片

提刀而立，為之四顧，為之躊躇滿志，³⁸善刀而藏之。"³⁹

文惠君曰："善哉！吾聞庖丁之言，得養生焉。"⁴⁰

注釋

1. 此篇"以義名篇"。"養生主"，即養生之宗旨。涯：限，極。知：知識。兩句意謂：人的生命是有限的，而知識是無限的。

2. 殆：危險，這裡指陷於窘境。已：通"矣"。兩句意謂：以有限之生命，拚命尋求無極之知識，怎麼能不窘困呢？用現在的話說：追求知識，要勞逸結合，過分拚命，便會傷身。

3. 已：既。兩句謂：既已窘困，還要拚命地追求知識，那就更加危險了。

4. "為善"兩句：意謂做了好事，卻不貪圖名聲；即使做了壞事，也不致於受到刑辱。

5. 緣：順循。督：即中正至虛之道。經：常。句意謂：順循中正至虛之道以為常法。

6. 生：性命。

7. 養親：贍養雙親。盡年：享盡天年。

8. 庖丁：廚師，名丁。庖，廚師。文惠君：即梁惠王。

9. 手觸：用手推牛。

10. 肩倚：用肩頂住牛。

11. 足履：用足踏牛。

12. 膝踦（yǐ）：屈一膝，跪而抵住牛。

13. 砉（huā）然：皮骨分離之聲。響然：用刀之聲。

14. 奏刀：進刀。騞（huō）然：進刀之聲。

15. 中音：合乎音樂節拍。《桑林》：相傳為殷商時代的樂曲名。

16. 《經首》：相傳為殷商時代的樂曲名。會：節奏，旋律。

17. 蓋：通“盍”，何。

18. 釋刀：放下刀。

19. 道：指道家之道。亦指規律，即掌握技術所達到的微妙境界。進乎技：謂所好之道超過解牛的技術。

20. 無非牛：謂看不見牛的骨節，而只見完整的牛。

21. 未嘗見全牛：謂所見之牛，都是可解剖的支節。

22. 以神遇：用精神與牛接觸。

23. 官知止：器官雖然停止視聽。神卻行：精神還在支配宰牛。

24. 依乎天理：意謂掌握牛的結構規律。

25. 批大郤：用刀劈開筋骨間大的空隙。郤：通“隙”，空隙。

26. 導大窾：（kuǎn）：把刀深進牛骨節間的空隙處。窾，空。

27. 因其固然：順着牛的自然結構。因，順。固然：本來的樣子。

28. 技：為“枝”字之誤（俞樾《莊子平議》）。枝：枝脈。經：經脈。枝經，猶言經絡。肯：附於骨上之肉。綮（qǐ）：筋骨連接處。軱（gū）：骨。兩句意謂：就連經絡骨肉連接處都不妨礙下刀，而更何況大骨呢！

29. 良庖：技術高超的廚師。更刀：換刀。

30. 族庖：眾庖，指平庸的廚師。折：砍。

31. 硎（xíng）：磨刀石。

32. 無厚：刀刃甚薄，沒有厚度。

33. 恢恢乎：寬綽的樣子。遊刃：運轉牛刀。

34. 族：指筋骨盤結之處。

35. 怵然為戒：警惕而不敢妄動。怵然，警惕的樣子。

36. 視為止：目力專注，不敢旁視。行為遲：下刀緩慢。

37. 微：謂輕。謋（huò）然：骨肉解散的樣子。謋，解散。如土委
    地：猶如土崩，堆積在地。

38. 躊躇滿志：閒豫安適，從容自得的樣子。

39. 善刀：拭刀，把刀擦乾淨。

40. 得養生焉：謂從中悟出養生之道。

　　公文軒見右師而驚曰：[41]“是何人也？惡乎介也？[42]
天與？其人與？”[43]曰：“天也，非人也。[44]天之生是，
使獨也，[45]人之貌，有與也。[46]以是知其天也，非人
也。”

　　澤雉十步一啄，[47]百步一飲，不蘄畜乎樊中。[48]神雖
王，不善也。[49]

　　老聃死，[50]秦失弔之，[51]三號而出。[52]弟子曰：“非
夫子之友邪？”[53]曰：“然。”[54]“然則弔焉若此可乎？”[55]
曰：“然。始也吾以為其人也，而今非也。[56]向吾入而弔
焉，[57]有老者哭之，如哭其子；少者哭之，如哭其母。彼
其所以會之，[58]必有不蘄言而言，不蘄哭而哭者。[59]是遁
天倍情，[60]忘其所受，[61]古者謂之遁天之刑。[62]適來，夫
子時也；[63]適去，夫子順也。[64]安時而處順，哀樂不能入
也，古者謂是帝之縣解。”[65]指窮於為薪，火傳也，不知

其盡也。[66]

注釋

41. 公文軒：人名，複姓公文，名軒，宋人。右師：官名，春秋時宋國設置，為最高行政長官，這裡以官職稱人。其人因犯罪被砍一隻腳。

42. 惡：何。介：獨足。

43. 其：抑或。

44. 非人：並非人為。按：“曰”以下為右師的回答。

45. 是：此，指右師其人。獨：獨足。

46. 與：賦予。兩句謂：人的形貌，是天賦予的。

47. 澤雉：水澤中的野鳥。雉：俗稱野雞。

48. 蘄（qí）：祈求。畜：畜養。樊：樊籠。

49. 神：精神。王：通“旺”，旺盛。善：適意。

50. 老聃：即老子，姓李，名耳，字聃，楚國苦縣屬鄉曲仁里人，任周守藏室之史官。

51. 秦失：人名，老聃朋友。又作“秦佚”。弔：弔喪。

52. 三號：謂哭三聲。

53. 弟子：秦失門人。夫子：指秦失。

54. 然：謂是我的朋友。

55. 弔焉若此：如此弔喪。焉，疑問語氣詞。

56. 以為其人：認為他是個俗人。非也：並非俗人。

57. 向：剛才。

58. 彼：指眾人。會之：會合至此哭弔老聃。

59. 不蘄言：不是老子期望的稱讚。言：稱讚。

60. 遁：失。倍：通“背”，違背。句意謂：這就是失去天理，違背真情。

61. 忘其所受：忘記稟受自然的生命之長短。

62. 遁天之刑：失去天理。刑，猶"理"（釋德清《莊子內篇注》）。

63. 適：正當。夫子：指老子。來：指生。時：謂應時而生。

64. 去：指死時。順：順時而去。

65. 帝之懸解：謂人之生，如物懸空中，備受痛苦，死則猶解其懸，而
　　得到解脫，故云"帝之懸解"。帝：天帝。縣：通"懸"，倒懸。

66. 指：通"脂"，即薪（柴）上的油脂。窮：燃盡。三句意謂：薪上
　　的油脂燃燒完了，火種卻流傳下去，無窮無盡。按：這裡以薪比喻
　　形，以火比喻精神。薪盡火傳，是說形體雖死，而精神卻長存。所
　　以，莊子非常強調"養生"和保養精神。

串講

　　人的生命是有限的，而知識是無限的。以有限的生命，去
拚命追求無限的知識，怎麼能不窘困呢？既然已經窘困，還要
不停地追求知識，那就更加危險了。做了好事，卻不貪圖名
聲；做了壞事，並不至於受到刑辱。順循正中至虛之道為常
法，就可以保全身體，不辱身傷命，而贍養父母，享盡天年
了。

　　有個名丁的廚師，給梁惠王宰牛，用手推牛，用肩頂住
牛，用腳踩住牛，屈着一膝而跪着抵住牛，發出進刀騞然，皮
骨分離的砉然的聲音，無不符合音樂的節奏——符合殷商時代
舞樂《桑林》的節奏、符合殷商時代《經首》樂曲的旋律。

　　梁惠王高興地對庖丁說："妙極了！你宰牛的技術，為何
竟能達到如此高超的地步呢？"庖丁放下牛刀答道："我所掌
握的宰牛之道（或規律），已經超過宰牛的技術。我初次宰牛
時，所看到的牛，只是一頭完整的牛。三年之後，我宰牛時，

已經看不到完整的牛，看到的牛只是它的骨節及其部位。現在，我宰牛，完全用精神與牛接觸，而不是用眼睛看牛；耳目器官雖然停止視聽，而精神還在支配着宰牛。能掌握牛的結構，用刀劈開牛的筋骨之間的大空隙，把刀深入到牛的骨節間的空虛處，順着牛的結構下刀宰割。就連牛的經絡骨肉連接之處都不曾碰到，更何況大的牛骨呢！技術高超的廚師，一年更換一把刀，因為他是在切割牛；平庸的廚師，一個月更換一把刀，因為他是在砍牛。現在，我所用的刀已經十九年了，宰牛數千條之多，刀刃還像剛磨過那樣鋒利。牛的骨節之間有空隙，而刀刃卻很薄；用很薄的刀刃，解剖牛骨節的空隙，這樣運轉牛刀，就非常的寬綽而有餘地了。所以，我用刀十九年，而刀刃還像新磨過的一樣。雖然如此說，在宰牛的時候，每當遇到牛的筋骨交錯盤結的地方，我看不好下刀，總還是很警惕，不敢妄動：視力專注，下刀緩慢，動刀很輕微，最後全牛才霍然而解，猶如土崩而堆積在地。於是，我提刀起立，四面環顧，閒豫安適而從容自得，把刀擦乾淨而收藏起來。"

梁惠王聽完庖丁述說解牛的經過，便興奮地說："妙極了！我聽了你解牛的一番言論，便從中悟出了養生之道。"

公文軒看見右師而驚奇地說："怎麼是這樣的人，為何只有一隻腳？是天生的，還是人為造成的？"右師說："是稟受天意，並非人為。天意讓我生成一隻腳，人的形貌，是天賦予的。"

水澤中的野鳥，四處尋覓，才能找到一口食物，喝上一口水。即使這樣，它也不期望被養在樊籠之中。被養在樊籠中，雖然神氣，但卻失去自由，並不能使它感到快活。

老聃死，秦失去弔喪，只哭三聲便走出來。其弟子問他說：“老聃不是你的朋友嗎？”秦失說：“他是我的朋友。”弟子認為，秦失對待朋友，這樣弔喪，太不近人情了。秦失解釋說：“我開始與老聃交朋友時，以為他是個俗人，今天他死後，才知他並非俗人，所以，不能以俗人之禮去弔唁他。剛才，我來弔唁老聃時，看見有的老人哭他，好像是在哭兒子；有的年輕人哭他，好像在哭父母。他們會合到此哭老聃，邊痛哭邊稱讚，這並非是老聃所期望的。因為他們這樣做，是失去天理，違背真情，忘記人的生命長短，是稟受自然的規律。老聃生，是應時而生；其死，是順時而去。生安其時，死順變化，死哀、生樂都不能入其胸懷。古代人稱此為天帝的解脫，猶如解除了倒懸的痛苦。”老聃死了，他的精神卻永遠流傳下去。就好像樹枝的油脂燃燒完了，火種卻流傳下去，無窮無盡。

評析

《養生主》，為“以義名篇”。所謂“養生主”，即養生之宗旨。唐代學者陸德明云：“養生，以此為主也。”（《經典釋文》）清代學者王先謙云：“順事而不滯於物，冥情而不攖於天，此莊子養生之宗主也。”（《莊子集解》）詮釋得更加明確。其他諸解，皆不符合莊子本義。諸如明代陸西星云：“養生主，養其所以主我生者也。其意則自前《齊物論》中‘真君’透下。蓋真君者，吾之真主人也。”（《南華經副墨》）清代林雲銘云：“養生主者，言養其所藉以生之主人，即《齊物論》篇所謂真君是也。”（《莊子因》）凡此等等，皆不可取。

老子和莊子都提倡少私寡慾、恬淡無為、順應自然，守氣全神的養生之道。《養生主》是講：循乎天理，依乎自然，處於至虛，遊於無有，不為外物傷身，便可以享盡天年，達到養生的目的。一言以蔽之，是講不以世務傷生的功夫。"緣督以為經"（順乎天然中正至虛之道以為常法）一句，為全篇總綱。全篇通過庖丁解牛、右師刖足、澤雉不期畜於樊籠、老聃死四則寓言，生動曲折地反映了養生的主題思想。

　　"吾生也有涯"至"可以盡年"為此篇總論，說明為達到養生目的，要做到兩點：一是說生命有限，知識無限；不要以有限的生命，拚命地追求無限的知識，否則，就會有危險。用現在的話說，即追求知識，研究學問，要勞逸結合，否則就會傷害身體。二是說，做好事，不要貪圖名聲；做了不好的事，也不至於受到刑辱。只有這樣理解此篇"總論"，才是正確的。

　　庖丁解牛的寓言，是本篇反映主旨的主要文字，"公文軒"三則寓言則為舉證說明主旨的文字，起着加深主旨的作用。庖丁解牛十九年，解數千

畫龍點睛

劉鳳苞云："其對文惠君，並無一語涉及養生，煞尾只將'養生'輕輕一點，便已水到渠成，山鳴谷應。尋常挑剔伎倆，無此玲瓏也。"（《南華雪心編》）說明作者採用畫龍點睛筆法，點出"養生"的主旨，妙不可言，耐人尋味。

條牛，"刀刃若新發於硎"，之所以能如此，是因為庖丁所好之"道"，超過其解牛之技術。因此，他在解牛時，能目無全牛，以神遇而不以目視，官止神行，以無厚之刀刃入有間之牛節，恢恢乎遊刃有餘。說明養生以當如此，遊於至虛，不為外

物所傷。但是，庖丁解牛的過程，處處描寫好道，而又處處關合養生，庖丁解完牛，又"善刀而藏之"，其含義極其深刻。劉鳳苞云："善用善藏，純是大道真詮，養生妙旨！"（《南華雪心編》）

庖丁解牛的寓言，已經流傳千古，膾炙人口，它的客觀意義遠遠超過了作者的本意。如同《莊子》中呂梁丈人蹈水、輪扁斲輪的寓言一樣，它們告訴人們，只要掌握事物的客觀規律，任何技藝都能發揮得盡善盡美，以致達到出神入化的境界。

右師，是春秋時代宋國設置的官職，為最高行政長官，文中以官職稱人。右師因犯罪被砍一隻腳，他卻謊稱是先天生就的。作者以澤雉不期畜於樊籠與右師對照，說明右師不善於養生，遠不如澤雉聰明。公文軒問右師獨足，是"天與？其人與？"他卻答道："天也，非人也！"頗有諷刺意味。這裡具有深刻的社會意義，作者是在諷刺當時社會那些貪贓枉法的官吏，不知養生，以致遭到刑辱，是自食其果，罪有應得。

"老聃死"的寓言，說明老聃：生，則應時而生；死，則順時而死，"安時而處順，哀樂不能入也"。是善於養生的典型。老聃雖死，但薪盡火傳，其精神永世長存。老子的《道德經》不是永存世人的心中嗎？

胡樸安把莊子與老子做比較，來論說他們不同的養生思想。他說："養生主者，不滯物，不攖天，任自然以養生也。莊子之學與老子異者，在於生死一事。老子求長生，莊子忘死生；老子以穀神（元氣）不死為養生，莊子以任自然為養生。養生之道，入於物而不滯，順乎天而不攖，不傷生，不畏死，

視死生為一致，真養生之主也。"（《莊子章義》）

其實，莊子和老子的養生思想並沒有甚麼本質的不同。老子和莊子都主張少私寡慾、守氣全神；老子期望"穀神"（元氣）不死而長生，主張"道法自然"；莊子主張"至樂活身"，認為生老病死如同自然變化，皆不足憂，只要做到清靜無為，順應自然，便能長樂長存（《至樂》篇）。顯然，老子和莊子在養生上的說法雖然不同，而實質上則是一致的，只是異曲同工而已。

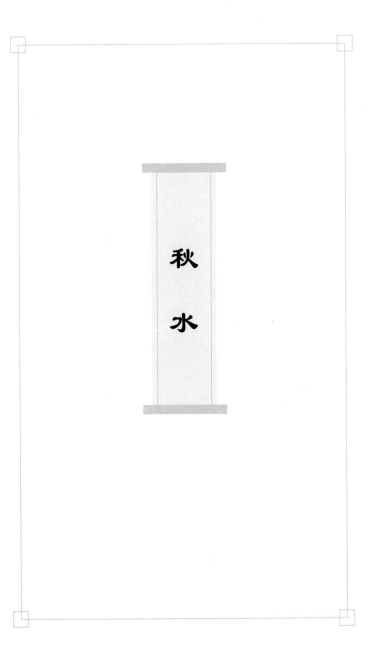

秋

水

秋水時至，百川灌河。[1]涇流之大，兩涘渚崖之間，不辯牛馬。[2]於是焉河伯欣然自喜，以天下之美為盡在己。[3]順流而東行，至於北海，東面而視，不見水端。[4]於是焉河伯始旋其面目，望洋向若而歎曰：[5]"野語有之曰：'聞道百，以為莫己若者。'我之謂也。[6]且夫我嘗聞少仲尼之聞而輕伯夷之義者，始吾弗信。[7]今我睹子之難窮也，吾非至於子之門則殆矣，吾長見笑於大方之家。"[8]北海若曰："井蛙不可以語於海者，拘於虛也；[9]夏蟲不可語於冰者，篤於時也；[10]曲士不可以語於道者，束於教也。[11]今爾出於崖涘，觀於大海，乃知爾醜，爾將可與語大理矣。[12]天下之水，莫大於海，萬川歸之，不知何時止而不盈；[13]尾閭泄之，不知何時已而不虛；[14]春秋不變，水旱不知。[15]此其過江河之流，不可為量數。[16]而吾未嘗以此自多者，[17]自以比形於天地，而受氣於陰陽，[18]吾在於天地之間，猶小石小木之在大山也。[19]方存乎見小，又奚以自多！[20]

莊子塑像　河南民權縣順河鄉集市

計四海之在天地之間也，不似礨空之在大澤乎？[21]計中國之在海內，不似稊米之在大倉乎？[22]號物之數謂之萬，人處一焉。[23]人卒九州，[24]穀食之所生，舟車之所通，人處一焉，此其比萬物也，不似豪末之在於馬體乎？[25]五帝之所連，三王之所爭，[26]仁人之所憂，任士之所勞，盡此矣！[27]伯夷辭之以為名，仲尼語之以為博，[28]此其自多也，不似爾向之自多於水乎？"[29]

注釋

1. 秋水：秋雨。本篇為"借物名篇"。時至：按時而降。灌河：流入黃河。河，指黃河。
2. 涇流：湧流的河道。涇，徑也，言如道徑也。流涇之大：謂河面寬廣。涘：河岸。渚(zhǔ)崖：洲邊。渚：水中小洲。辯：通"辨"，分辨。

莊子故里　河南民權縣順河鄉青蓮寺村

3. 焉：猶"乎"，句中語氣詞。河伯：黃河之神。美：美景。盡在己：皆在自己眼前。

4. 北海：虛構的海名。水端：海的盡頭。

5. 始：方。旋：回轉。面目：臉面。望洋向若：謂向着海神仰視。望洋，仰視的樣子。若，海神名，取其若有若無之意。

6. 野語：俗話。道：指道理。莫己若，即"莫若己"。我之謂：說的就像我這樣。

7. 少：以……為少。伯夷：孤竹君之子，不受君位，不食周粟，餓死在首陽山。弗信：不信。

8. 子：指北海若。難窮：望不到邊際。殆：危險。大方之家：謂道術高的人。

9. 語於海：談論大海。拘於虛：指局限於井中。拘，局限。虛，通"墟"，域。

10. 篤於時：受時間的局限。篤，固守。

11. 曲士：卑陋偏執之士。束於教：束縛於世俗之學。

12. 爾：你。崖涘：指黃河岸邊。醜：指卑陋無知。大理：指大道。

13. 止：停止。指百川停止流入大海。

14. 尾閭：海水的出口處。泄：排泄。已：止。不虛：未見虧虛。

15. 春秋不變：謂春雨少，秋雨多，未見海水有變化。不知：意謂沒有影響。

16. 過：超過。量數：估量，計算。

17. 自多：自滿，自誇。

18. 比：借為"庇"，寄託。氣：元氣。陰陽：亦指天地。

19. 大山：即泰山。大，通"泰"。

20. 見：通"現"，顯現。奚：哪裡。

21. 計：計量。礨（lěi）空：蟻穴（成玄英《莊子疏》）。大澤：大的澤地。

22. 稊（tí）米：稊的果實。稊，是形狀似稗的草，果實與穀子相似。

莊子井　河南民權縣順河鄉青蓮寺村

　　大倉：儲糧的大倉庫。

23. 號：名，稱。物：物種。一：其中之一。

24. 卒：通“萃”，聚。九州：古人以天下分為九州，這裡指中國。

25 豪末：謂毫毛之末。豪，通“毫”。

26. 五帝：說法不一。《史記‧五帝本紀》指黃帝（軒轅）、顓頊（高
　　陽）、嚳（高辛）、堯（放勳）、舜（重華）為五帝。三王：指夏、
　　商、周三代帝王。

27. 所憂：憂慮天下安危。任士：治世之士。盡此：謂皆同毫毛之末一
　　樣微不足道。此，指毫末。

28. 辭：辭讓君位。為名：為求好名聲。為博：顯示學識淵博。

29. 向：剛才。自多於水：在秋水面前洋洋自得。

　　河伯曰：“然則吾大天地而小毫末，[30]可乎？”北海
若曰：“否。夫物量無窮，時無止，[31]分無常，[32]終始無

故。[33] 是故大知觀於遠近，[34] 故小而不寡，大而不多，知量無窮。[35] 證嚮今故，[36] 故遙而不悶，掇而不跂，[37] 知時無止。察乎盈虛，[38] 故得而不喜，失而不憂，知分之無常也。[39] 明乎坦涂，[40] 故生而不說，死而不禍，[41] 知終始之不可故也。[42] 計人之所知，不若其所不知；[43] 其生之時，不若未生之時。[44] 以其至小，求窮其至大之域，是故迷亂而不能自得也。[45] 由此觀之，又何以知毫末之足以定至細之倪，[46] 又何以知天地之足以窮至大之域？"

河伯曰："世之議者皆曰：'至精無形，至大不可圍。'是信情乎？"[47] 北海若曰："夫自細視大者不盡，[48] 自大視細者不明。[49] 夫精，小之微也；[50] 垺，大之殷也。[51] 故異便，此勢之有也。[52] 夫精粗者，期於有形者也；[53] 無形者，數之所不能分也；[54] 不可圍者，數之所不能窮也。可以言論者，物之粗也；可以意致者，物之精也；[55] 言之所不能論，意之所不能察致者，不期精粗焉。[56] 是故大人之行，不出乎害人，不多仁恩；[57] 動不為利，不賤門隸；[58] 貨財弗爭，不多辭讓；[59] 事焉不借人，不多食乎力，不賤貪污；[60] 行殊乎俗，不多辟異；[61] 為在從眾，不賤佞諂；[62] 世之爵祿不足以為勸，戮恥不足以為辱；[63] 知是非之不可為分，細大之不可為倪。[64] 聞曰：'道人不聞，至德不得，大人無己。'[65] 約分之至也。"[66]

注釋

30. 大天地：以天地為大。小毫末：以毫末為小。按：這裡的"大"與"小"，皆為動詞。

31. 物量無窮：物體的器量秉分千差萬別。時無止：時間的流逝，沒有止境。

32. 分無常：得與失是沒有定準的。分，謂得失分位。

33. 終始無故：謂無始無終，變化日新。故，通"固"，固定。

34. 知：通"智"。觀於遠近：能看到事物變化無窮、無止、無常、無固等。

35. 知量無窮：知道萬物秉分的差別是無窮的。

36. 證曏今故：驗證和察明古今變化無窮的情形。曏，察明。故，通"古"。

37. 悶：厭倦。掇（duō）：拾掇，拾取。跂：通"企"，企望。兩句意謂：對流逝的遙遠過去並不厭倦，對俯拾可得的未來並不企望。

38. 察乎盈虛：能明察天道有盈有虛的變化之理。

39. 知分無常：深知得失的分位是沒有固定的。

40. 明乎坦涂：明白死生是平坦的大道。涂，通"途"。

林雲銘《莊子因·序》

41. 說：通“悅”。禍：禍敗。

42. 終始：指死生。不可故：沒有固定之理。故，故常，常理。

43. “計人”兩句：謂計算人所知道的事，遠不如其所不知道的事情
多。

44. “其生”兩句：謂人生在世的時間，不如死去的時間長。

45. 至小：指有限的知識和生命。求窮：希求窮盡。至大之域：無限的
世界。不能自得：不能有所得。

46. 定：判定。至細：至小，最小之物。倪：借為“儀”，尺度。

47. 至精無形：最小的物體，看不清其形狀。至精，極小。圍：範圍。
信情：實情。

48. 細：小。不盡：看不完全。

49. 不明：看不分明，看不清楚。

50. “夫精”兩句：謂精細之物，是小物中的微小之物。

51. 垺（fú）：通“郛”，恢廓宏大。殷：大。

52. 異便：謂物不同卻各有所宜。便，宜。勢：勢態。

53. 期：限於。

54. 數：度數。分：劃分。

55. 意致：只能意識到。

56. 察：疑是衍文。不期：不限於。

57. 大人：指道家。行：行為。不多：不讚許。

58. 動：謂做事。門隸：家奴。

59. 辭讓：把財物辭讓給別人。

60. 事：做事。借人：借助別人之力。食乎力：謂自食其力。賤：卑
賤。貪：貪圖財物。污：藉人舉事者為污（劉鳳苞《南華雪心
編》）。

61. 辟異：邪僻乖異。辟，通“僻”。

62. 從眾：隨眾。佞諂：謂奉承諂媚之人。

63. 爵祿：爵位俸祿。勸：勉勵。戮恥：謂刑戮和罷官之恥。

64. 倪：倪限。

65. 道人：指得道之人。不聞：不著功名於世。至德：具有高尚道德的
　　人。按：道人，至德之人、大人，皆為體道之人。

66. 約分之至：謂依照事物的限度，只做分內的事，就算達到至德的境
　　界了。

　　河伯曰："若物之外，若物之內，惡至而倪貴賤？惡
至而倪小大？"67北海若曰："以道觀之，物無貴賤；以
物觀之，自貴而相賤；以俗觀之，貴賤不在己。68以差觀
之，69因其所大而大之，則萬物莫不大；因其所小而小
之，則萬物莫不小。知天地之為稊米也，知毫末之為丘山
也，則差數睹矣。70以功觀之，因其所有而有之，則萬物
莫不有；因其所無而無之，則萬物莫不無。知東西之相反
而不可以相無，則功分定矣。71以趣觀之，因其所然而然
之，則萬物莫不然；72因其所非而非之，則萬物莫不非。
知堯、桀之自然而相非，則趣操睹矣。73昔者堯、舜讓而
帝，74之、噲讓而絕；75湯、武爭而王，76白公爭而滅。77
由此觀之，爭讓之禮，堯、桀之行，貴賤有時，未可以為
常也。78梁麗可以衝城而不可以窒穴，言殊器也；79騏驥
驊騮一日而馳千里，捕鼠不如狸狌，言殊技也；80鴟鵂夜
撮蚤，察毫末，晝出瞋目而不見丘山，言殊性也。81故
曰：蓋師是而無非，師治而無亂乎？82是未明天地之理，
萬物之情者也。83是猶師天而無地，師陰而無陽，其不可
行明矣！84然且語而不捨，非愚則誣也！85帝王殊禪，三

代殊繼。[86]差其時，逆其俗者，謂之篡夫！[87]當其時，順其俗者，謂之義之徒！[88]默默乎河伯，女惡知貴賤之門，小大之家！」[89]

河伯曰：「然則我何為乎？何不為乎？[90]吾辭受趣捨，吾終奈何？」[91]北海若曰：「以道觀之，何貴何賤，是謂反衍；[92]無拘而志，與道大蹇。[93]何少何多，是謂謝施；[94]無一而行，與道參差。[95]嚴乎若國之有君，其無私德；[96]繇繇乎若祭之有社，其無私福；[97]泛泛乎其若四方之無窮，其無所畛域。[98]兼懷萬物，其孰承翼？是謂無方。[99]萬物一齊，孰短孰長？[100]道無終始，物有死生，不恃其成。[101]一虛一滿，不位乎其形。[102]年不可舉，時不可止。[103]消息盈虛，終則有始。[104]是所以語大義之方，論萬物之理也。[105]物之生也，若驟若馳。[106]無動而不變，無時而不移。[107]何為乎，何為不乎？夫固將自化。」[108]

憨山德清《莊子內篇注》

注釋

67. 外：外表。內：內部。惡：何。倪：做動詞，量度，區分。

68. 「以俗」兩句：謂用世俗之人的眼光看，貴賤之權，並非己所能操

（林雲銘《莊子因》）。

69. 差：指萬物的大小差別。

70. 差數：數量差別。

71. 功分：功能與分位。

72. 趣：通"趨"，趨向。然：是。

73. 堯：唐堯，五帝之一。桀：夏朝國君，暴君。趣操：趨向和情操。

74. 讓：禪讓帝位。

75. "之、噲"句：戰國時代，蘇秦之弟蘇代，從齊國至燕，游說燕王噲讓位給宰相子之（蘇秦女婿）。子之即位，國人不服，三年國亂。齊宣王興師伐燕，殺死噲與子之，幾乎滅絕燕國。"之、噲讓而絕"，即指此事。

76. "湯、武"句：謂商湯伐桀、周武王伐紂，皆爭戰而稱王。

77. "白公"句：白公，名勝，楚平王之孫，太子建之子。因鄭人殺其父，請兵報仇而未允，遂於封邑起兵反楚。楚王派葉公子高，伐而滅之。

78. 禮：禮法。行：作為。有時：謂因時而異。為常：作為常規。

79. 梁麗：樑棟。麗，通"欐"，棟。衝城：衝擊敵城。窒穴：堵塞鼠穴。殊器：器用不同。

80. 騏驥、驊騮：皆為古代良馬。狸：野貓。狌：黃鼠狼。殊技：技能不同。

81. 鴟（chī）：貓頭鷹。鵂（xiū）：衍文（王先謙《莊子集解》）。撮：抓取。蚤：跳蚤。瞋目：睜大眼睛。殊性：物性不同。

82. 故曰：俗語說（劉鳳苞《南華雪心編》）。蓋：通"盍"，何不。師：效法。兩句意謂：何不效法正確的而拋棄錯誤的，效法治世而拋棄混亂呢？

83. 天地之理：天地間事物變化之理。萬物之情：萬物變化之情。

84. 不可行：行不通。明：清楚。

85. 語：游說。不捨：不捨於口。誣：欺騙。

86. 殊禪：禪讓帝位情況不同。殊繼：繼承的情形不同。

87. 差其時：不合時宜。俗：指大眾。篡夫：篡奪之人。

88. 當其時：合於時宜。順其俗：順應民心。義之徒：具有道義的人。

89. 默默：沉靜無言。女：通"汝"，你。之門：之理。下文"之家"，亦同此義。

90. "然則"兩句：謂然而我於何事可為，於何事而不可為呢？

91. 辭受趣捨：辭讓、接受、趨就、捨棄。奈何：怎麼辦。

92. 反衍：反覆，即向相反方向轉化。

93. 無拘：不固執，拘執。而：通"爾"，你。蹇（jiǎn）：違礙。

94. 謝施（shī）：與"反衍"義同，謂相互轉化。謝，代謝。施，移，延伸。

95. 無一：不要偏執己見。無，通"毋"，不要。參差：不合，背離。

96. 嚴：莊重威嚴。有：語助詞。下句"有"字同。私德：謂私愛。

97. 繇繇（yóu）：悠然自得的樣子。社：社神，即土地神。

98. 泛泛：周遍的樣子。畛（zhěn）域：界限。

99. 懷：藏。孰：誰。承翼：謂承接扶翼（林雲銘《莊子因》），指得到庇護。無方：無所偏向（王先謙《莊子集解》）。

100. 一齊：一樣，等同。

101. 不恃：不可依靠。成：成功。

102. 不位乎其形：並非拘守形體與名位。

103. 年：年月。舉：復興，可引申為回轉。

104. 消息盈虛：消亡、生息、充盈、虧虛。終則有始：皆在終而復始的變化着。

105. 大義：大道。方：指深奧的學問。理：道理，規律。

106. 驟：馬兒急行。馳：馬車疾行。

107. "無動"兩句：謂萬事萬物隨時隨地都在變化。

108. 固：本來。自化：自行變化。按：此段說明，應任憑大道自然變化，不可有意為之。

河伯曰："然則何貴於道邪？"[109]北海若曰："知道者必達於理，達於理者必明於權，明於權者不以物害己。[110]至德者，[111]火弗能熱，水弗能溺，寒暑弗能害，禽獸弗能賊。[112]非謂其薄之也，言察乎安危，寧於禍福，[113]謹於去就，莫之能害也。[114]故曰：'天在內，人在外，德在乎天。'[115]知天人之行，本乎天，位乎得，[116]蹢躅而屈伸，反要而語極。"[117]曰："何謂天？何謂人？"[118]北海若曰："牛馬四足，是謂天；落馬首，[119]穿牛鼻，是謂人。故曰：'無以人滅天，無以故滅命，無以得殉名。[120]謹守而勿失，是謂反其真。'"[121]

夔憐蚿，[122]蚿憐蛇，蛇憐風，風憐目，目憐心。[123]夔謂蚿曰："吾以一足趻踔而行，予無如矣。[124]今子之使萬足，獨奈何？"[125]蚿曰："不然。[126]子不見夫唾者乎？[127]噴則大者如珠，小者如霧，雜而下者不可勝數也。[128]今予動吾天機，而不知其所以然。"[129]蚿謂蛇曰："吾以眾足行，而不及子之無足，何也？"蛇曰："夫天機之所動，何可易邪？吾安用足哉！"[130]蛇謂風曰："予動吾脊脅而行，則有似也。[131]今子蓬蓬然起於北海，[132]蓬蓬然入於南海，而似無有，[133]何也？"風曰："然。予蓬蓬然起於北海而入於南海也，然而指我則勝我，[134]鰌我亦勝我。[135]雖然，夫折大木，蜚大屋者，[136]唯我能也。"故以眾小不勝，為大勝也。[137]為大勝者，唯聖人能之。[138]

注釋

109. 何貴於道：為何貴重大道。

110. 權：權變，應變。物：指外物。

111. 至德者：具有高尚道德的人，這裡指得道之人。

112. 賊：傷害。

113. 薄：迫近。寧：安。禍：謂窮厄。福：謂通達。

114. 謹：謹慎。去：退捨。就：進取。

115. 天：天性。人：指人事。德在乎天：人品之美，在於天然形成。

116. 行：運行，指活動規律。本：以……為根本。位：處，居。得：
     自得。三句意謂：明白自然與人類活動的規律，方能以順應自然
     為根本，而處於虛極自得的境界。

117. 蹢躅：同"躑躅"，進退不定的樣子。反要：返歸大道之樞要。
     語極：謂談論大道的至理。

118. 天：天然。人：人為。

119. 落：通"絡"，羈勒。

120. 天：天性。故：有心而為叫做"故"。命：天理。殉名：為追求
     虛名而喪生。

121. 反：通"返"，回歸。真：真性。與"滅天"之"天"同義。按：
     此段說明，入道之法，自然而然，不可造作安排。

122. 夔（kuí）：傳說中似牛的野獸，無角，一足。蚿（xuán）：馬
     蚿蟲，又名百足蟲。憐：羨慕。

123. 目：眼睛。心：心靈。

124. 趻踔（chěn chuō）：跳着走的樣子。無如：不如。

125. 萬足：馬蚿蟲足多，故謂"萬足"。獨：特，究竟。

126. 不然：不是這樣。

127. 唾：唾沫。

128. 雜而下者：散雜而下。

129. 天機：天然的機能。所以然：為甚麼會這樣。

130. 動：行動。易：改變。安：哪裡。

131. 脊肋：脊柱和肋骨。有似：像有足行走的樣子。

132. 蓬蓬然：象聲詞，風聲。

133. 似無有：好像沒有絲毫形跡。

134. 指我：用手指逆指我。勝：勝過。

135. 鰌（qiū）：又作“踏”，踢踏。

136. 蜚大屋：吹捲屋樑。蜚，通“飛”。

137. 以眾小不勝：謂不與眾小爭勝。為大勝：謂無所不勝。

138. 聖人：指得道之人。能之：能做到這點。按：此段說明，天機所動，各有自然，彼之所難，此之所易，難易不在多少有無。正是闡發“無以人滅天”之義。

　　孔子遊於匡，[139] 宋人圍之數匝，[140] 而弦歌不惙。[141] 子路入見，[142] 曰：“何夫子之娛也？”[143]孔子曰：“來，吾語女。[144] 我諱窮久矣，而不免，命也！[145] 求通久矣，而不得，時也；[146]當堯、舜而天下無窮人，非知得也；[147]當桀、紂而天下無通人，非知失也：[148] 時勢適然。[149] 夫水行不避蛟龍者，漁父之勇也；[150]陸行不避兕虎者，獵夫之勇也；[151] 白刃交於前，[152] 視死若生者，烈士之勇也；知窮之有命，知通之有時，臨大難而不懼者，聖人之勇也。由，處矣！[153] 吾命有所制矣！”[154] 無幾何，將甲者進，[155] 辭曰：“以為陽虎也，故圍之；今非也，請辭而退。”[156]

　　公孫龍問於魏牟曰：[157]“龍少學先王之道，長而明仁義之行；[158]合同異，離堅白；[159]然不然，可不可；[160]困百

家之知，窮眾口之辯，161吾自以為至達已。162今吾聞莊子
之言，汒焉異之。163不知論之不及與？知之弗若與？164今
吾無所開吾喙，敢問其方。"165公子牟隱机大息，仰天而
笑曰："166子獨不聞夫埳井之蛙乎？167謂東海之鱉曰：
'吾樂與！出跳梁乎井幹之上，入休乎缺甃之崖。168赴水
則接腋持頤，蹶泥則沒足滅跗。169還虷蟹與科斗，莫吾
能若也。170且夫擅一壑之水，而跨跱埳井之樂，此亦至
矣。171夫子奚不時來入觀乎？'172東海之鱉左足未入，而
右膝已縶矣。173於是逡巡而卻，告之海曰：'174夫千里之
遠，不足以舉其大；175千仞之高，不足以極其深。176禹
之時，十年九潦，而水弗為加益；177湯之時，八年七旱，
而崖不為加損。178夫不為頃久推移，不以多少進退者，179
此亦東海之大樂也。'於是埳井之蛙聞之，適適然驚，規
規然自失也。180且夫知不知是非之竟，181而猶欲觀於莊
子之言，是猶使蚊負山，商蚷馳河也，182必不勝任矣。
且夫知不知論極妙之言，而自適一時之利者，是非埳井之
蛙與？183且彼方跐黃泉而登大皇，184無南無北，奭然四
解，淪於不測；185無東無西，始於玄冥，反於大通。186
子乃規規然而求之以察，索之以辯，187是直用管窺天，用
錐指地也，不亦小乎？188子往矣！且子獨不聞夫壽陵餘子
之學行於邯鄲與？189未得國能，又失其故行矣，190直匍匐
而歸耳。191今子不去，將忘子之故，失子之業。"192公孫
龍口呿而不合，舌舉而不下，乃逸而走。193

注釋

139. 匡：衛國邑名。孔子遊宦到衛國匡地。

140. 宋人：當作“衛人”。魯國陽虎，曾經暴虐匡人，匡人誤把孔子當做陽虎，故包圍了他。匝：層。

141. 弦歌：彈琴吟唱。惙：通“輟”，止。

142. 入見：進屋拜見。

143. 何夫子之娛：先生為何這樣快樂。娛，快樂。

144. 語女：告訴你。女，通“汝”，你。

145. 諱：忌諱。命：命運。

146. 通：通達得意。時：時運，際遇。

147. 當：在。窮人：指困窘不得志的人。知：通“智”。

148. 通人：通達得志之人。知失：智慧低下。

149. 時勢適然：謂這是時代形勢造成的。適然：使之如此。

150. 蛟：傳說中的動物，似龍無角。漁父：即“漁夫”。

151. 兕（sì）：犀牛一類的獸名。

152. 白刃：刀劍一類的兵器。

153. 由：子路，名仲由。處矣：安然處之吧。

154. 制：控制。

155. 將：帥，即“率領”。甲：指士兵。

156. 非：非是。請辭而退：謂請我表示道歉，解圍而去。按：此段說明，窮通有命，不可人為求之，是在闡發“無以故滅命”之義。

157. 公孫龍：姓公孫，名龍，字子秉，戰國時趙國人，是當時著名的名家。著作有《公孫龍子》十四篇，今存六篇。魏牟：魏國公子，名牟，故稱公子牟。作者把他當做懷道之人。按：此乃寓言故事，不可當信史視之。

158. 先王之道：指堯、舜、禹、湯的主張。仁義之行：謂仁義道德。

159. 同異、堅白：見《齊物論》篇注。兩句意謂：持同異相合、堅白相離之論。

160. "然不然"兩句：謂能把不是說成是，不可說成可。按："合同異，離堅白；然不然，可不可"，這是名家公孫龍的著名論題。

161. 困：使……困惑。窮：使……理屈辭窮。困、窮皆為形容詞而做動詞使用。知：通"智"，智士。窮眾口之辯：使眾多善辯之人感到理屈辭窮。

162. 至達：最通達。

163. 沁焉：自失的樣子。沁，通"茫"。異之：感到奇異。之，指莊子學說。

164. 論：論辯之才。與：通"歟"。知：通"智"。

165. 喙：鳥獸之嘴，代指人嘴。方：術，道理。

166. 隱几：倚靠几案。隱，倚靠。機，通"几"。

167. 埳（kǎn）井：淺井。

168. 跳梁：即"跳踉"，騰跳。井幹：井欄。缺：破損。甃（zhòu）：用磚砌成的井垣。崖：通"涯"，邊。

169. 接：承托。與"持"同義。腋：人體肩臂內面的交接處，或禽獸的翅膀與腹部連接處。頤：面頰。蹶（jué）：踏。滅跗（fū）：蓋沒腳背。跗：腳背。

170. 還：迴顧。虷（hán）：孑孓，即蚊子的幼蟲。或說為赤蟲。科斗：即蝌蚪，蛙的幼蟲。莫吾能若：即"莫能若吾"。

171. 擅：獨佔。壑：坑。跨跱（zhì）：盤踞。至：謂最大的快樂。

172. 時：經常，時常。入觀：謂到井中看看。

173. 縶（zhí）：絆住。

174. 逡巡：小心退卻的樣子。卻：退卻。

175. 舉其大：形容大海之大。舉，形容，稱說。

176. 極其深：謂量盡大海之深。極，盡。

177. 潦：同"澇"，積水成災。加益：加多。

178. 崖：海岸，指水位。加損：降低。

179. 頃久：時間長短。推移：改變，變化。多少：雨量多少。進退：

水位升降。

180. 適適然：驚怖的樣子。規規然：茫然自適的樣子。

181. 竟：通“境”，境界。

182. 商蚷（jù）：蟲名，又稱馬蚿，百足蟲，只能陸行。

183. 論極妙之言：談論極妙的理論。自適：自以……為樂。

184. 彼：指莊子。方：正。跐（cǐ）：蹈。大（tài）皇：皇天。按：此句言莊子學說精深高遠。

185. 無南無北：猶言無論南北。奭（shì）然：猶言“釋然”，消散的樣子。四解：四達，即四面暢通。這是說莊子道之寬廣。淪於不測：謂其智隱沒，不可測量。淪（yuè），淹漬，引申為隱沒。

186. 無東無西：當作“無西無東”，與“通”為韻（王念孫《讀書雜誌》）。玄冥：無極，即未有宇宙前的混沌狀態。大通：即“大道”。

187. 乃：卻，竟。規規然：經營的樣子（成玄英《莊子疏》）。與“規規然自失也”的用法不同。

188. 直：但，只不過。指：測量。小：渺小。

189. 壽陵：戰國時燕國地名。餘子：弱齡未壯，稱餘子。學行：學步法。邯鄲：趙國都城，在今河北省邯鄲市。按：“邯鄲學步”的成語，即出於此。

190. 國能：指趙國走路的步法。故行：原來的步法。

191. 匍匐：爬行。

192. 子：指公孫龍。“忘”與“失”同義。“故”與“業”同義。

193. 口呿（qū）：張口的樣子。舌舉：抬起舌頭。乃逸而走：謂逃遁而去。按：此段是申發“無以得殉名”之義。

　　莊子釣於濮水。[194] 楚王使大夫二人往先焉，[195] 曰：“願以境內累矣！”[196] 莊子持竿不顧，[197] 曰：“吾聞楚有神龜，[198] 死已三千歲矣。王巾笥而藏之廟堂之上。[199] 此龜者，寧其死為留骨而貴乎？[200] 寧其生而曳尾於涂中乎？[201] 二大夫曰：“寧生而曳尾涂中。”莊子曰：“往矣！吾將曳尾於涂中。”[202]

惠子相梁，莊子往見之。[203] 或謂惠子曰：[204] “莊子來，欲代子相。”[205] 於是惠子恐，搜於國中三日三夜。[206] 莊子往見之，曰：“南方有鳥，其名為鵷鶵，[207] 子知之乎？夫鵷鶵發於南海而飛於北海，非梧桐不止，[208] 非練實不食，非醴泉不飲。[209] 於是鴟得腐鼠，鵷鶵過之，[210] 仰而視之曰：‘嚇！’[211] 今子欲以子之梁國而嚇我邪？”

莊子與惠子遊於濠梁之上。[212] 莊子曰：“儵魚出游從容，是魚之樂也。”[213] 惠子曰：“子非魚，安知魚之樂？”[214] 莊子曰：“子非我，安知我不知魚之樂？”惠子曰：“我非子，固不知子矣；子固非魚也，子之不知魚之樂，全矣！”[215] 莊子曰：“請循其本。[216] 子曰‘汝安知魚樂’云者，既已知吾知之而問我。[217] 我知之濠上也。”[218]

注釋

194. 濮水：在今安徽省茨河上游（《水經注·渠水》）。

195. 楚王：楚威王。往先：到那裡先述其意，含有非正式而試探之意。

196. 境內：國內，即指國家政務。按：據《史記·老子韓非列傳》記載：“楚威王聞莊周賢，使使厚幣迎之，許以為相。”

197. 持竿不顧：謂手持釣竿，專心釣魚，不予理睬。

198. 神龜：即龜。古代人用龜殼占卜吉凶，認為非常靈驗，故稱。

199. 巾：纏束或覆蓋用的織物。笥（sì）：盛裝物品的長方形竹箱。
巾、笥，這裡皆做動詞。

200. 貴：顯示貴重。

201. 曳：拖。涂：泥。

202. 往矣：你走吧！按：此則寓言，說明莊子不願做官而損害自然本
性，再次申發"無以得殉名"之義。

203. 惠子：即惠施。相：官名，後宮之長，相當於後世的宰相。這裡
做動詞。

204. 或：有人。

205. 欲代子相：想取代你做宰相。

206. 恐：害怕。國中：國都之中。

207. 鵷鶵（yūn chú）：鳳凰之類的鳥。

208. 發於南海：從南海起飛。飛於：飛到。梧桐：梧桐樹。

209. 練實：竹子的果實。醴泉：甜美的泉水。

210. 鴟（chī）：貓頭鷹。按：鵷鶵，莊子自比。鴟，比喻惠子。腐
鼠，比喻相位。

211. 嚇：怒斥之聲。

212. 濠（háo）：水名，即濠水，在今安徽省鳳陽境內，北流至臨淮
關入淮河。梁：橋。

213. 鰷（tiáo）魚：白條魚。鰷，通"鯈"。是：此，這。

214. 子：你，指莊子。安：何，怎麼。

215. 固：本來。全：完全，肯定。

216. 循：追溯：本：始，指原來的問話。句意謂：請返回你問我的
話。

217. "子曰"兩句：莊子把惠子"子非魚，安知魚之樂"的反詰句，
換成一般的問句，於是就把否定的意思變成了肯定的意思。

218. 按：此則寓言說明，人情物理，可以相推而知。魚樂濠梁之下，

人樂濠梁之上，皆為自然天性。可見這是在申發"反其真"之旨。

串講

　　秋雨按時降下，許多河流皆匯流入黃河。黃河寬廣，兩岸和河中小洲之間，分不清牛馬。黃河之神河伯欣然自喜，認為天下美景皆在自己眼前。河神順流東下，至北海，向東望去，看不到盡頭。河神轉過臉，向着海神海若仰視而感歎說："俗話說：'聽說上百條道理，便認為自己懂得最多。'說的就是我這樣的人。我聽有人說孔子的見聞少、輕視伯夷氣節的話，當初我不信。現在，我親眼看到你浩渺無邊，要不是來到你面前，就危險了，我將會被大方之家譏笑呢！"海神說："井中之蛙，不能與它談論大海，因為它局限在井中；夏死秋生的昆蟲，不能與它談論冬天會結冰的事，是由於它生長時間的局限。卑陋偏執之士，不能與他談論大道，是因為他被俗學所束縛。現在，你從黃河邊來，看到浩渺蒼茫的大海，才知道自己卑陋寡聞，這樣便可以同你談論大道了。天下的河流，都沒有海大，千萬條河流皆匯流入海，永不休止，也未見滿溢；從海的尾閭排泄海水，永不停止，也未見虧虛；春雨少，秋雨多，也未見海水有何變化；或旱或澇，也未見海水有增減。大海蓄水之多，超過了江河的流量，也無法計算。我並不因此自滿，我寄託形體於天地，稟受元氣於陰陽，我在天地間，就像小石小木在泰山那樣小，哪裡還會自滿呢？而四海在天地間，不就像一粒稊米存在糧倉之中嗎？物類號稱萬計，人只佔其中之一。一個人與萬物相比，就好像毫末在馬體上那樣小。五帝禪讓天下，三王興師爭奪王位，仁人憂慮安危，治世之士苦於職務，皆微不足道。伯夷辭讓以求名聲，孔子談論天下事以顯示淵博學識，不就像你剛才在秋水面前洋洋自得那樣嗎？」

河神說：「我以天地為大，以毫末為小，可以嗎？」海神說：「不可。物的限量大小，沒有窮盡；時間流逝，沒有止境。得失沒有定準，無始無終，變化日新。有大智者能察事物的遠近，不因小而認為少，不因為大而認為多，知道萬物的限量是無窮的。能驗證和察明古今變化無窮，所以對流逝的過去並不厭倦，對拾掇可得的未來也並不企望，知道時間的流逝是不會停止的。能夠明察天道盈虧的變化之理，所以得不悅，失不悲，深知得失本來並不固定。生不足以為欣悅，死不足以為禍敗，明白生與死並無常理。人所知道的事情，遠不如不知道的多；人生存的時間，遠不如死去的時間長。想用很少的知識和有限的生命，去探求和明白無限發展變化的世界，只能把自己弄得心思迷亂而不能有所得。由此看來，怎麼能知道毫末就是判斷事物的最小尺度呢？又怎麼知道天與地就是最大的境域呢？」

河神說：「世人都說：『最細微之物，是看不見形狀的；最大之物，是無法度量其範圍的。』此話真實可信嗎？」海神說；「從小而視大，是看不完全的；從大而視小，是看不分明的。精細之物，是小物中的微小之物；巨大之物，是大物中的大物。事物大小各不相同，卻各有各的相宜之處，這是勢態發展的必然現象。所謂精微粗細之物，都是有形名之跡的東西；無形跡之物，是不能用度數劃分的；無法範圍其大小之物，是不能用度數衡量的。可以用言語談論的事物，是事物中粗的部分；只可意識而不能用言語談論的事物，是事物中精微的部分；言語所不能談論的，心意所不能達到的，是不能用精微和粗細來限定的事物。大人行動自然，不做危害人的事，也不稱讚行仁施恩；大人做事並非撈取私利，也不卑賤家奴；不與人爭奪財物，也不稱讚辭讓財物給人；做事不借別人之力，也不稱讚自食其力，不卑賤貪圖財物和借他人之力辦事的人；行為不同世俗，也不稱讚邪僻乖異的行徑；凡有所為，未曾專斷，隨從眾人而已，但也不卑賤奉承諂媚之人；世上的高官厚祿，不足以為勉勵，而刑戮和罷黜，亦不足為羞辱；知道是非的界限不好劃分，大小的標準無法限定。聽說：'得道之人，不著功名於世；至德之人，不期望有所得；大人方圓任物，物我兩忘。'依照事物的限度，只做分內的事，就算達到至德的境界了。"

河神說："假若在物體的外表，假若在物體的內部，怎樣來區分貴與賤，怎樣來區分大與小呢？"海神說："用自然之道來看，萬物本來並無貴賤之分；從萬物的角度看，都是自以為貴而以他物為賤的；用世俗的眼光看，貴賤之權，並非自己能掌握。按照萬物之間的大小差別來看，從大的方面便以其為大，那萬物沒有不是大的；從小的方面便以其為小，那萬物沒有不是小的。知道天地雖大，而比起更大的東西，它也像稊米那樣小；知道毫末雖小，而比起更小的東西，它也像大山那樣大。這樣，萬物之間的數量差別也就可以看清了。以事物具有的功能看，從其有功能的角度看，便認為其有功能，那麼萬物沒有不具有功能的。從其沒有功能的角度看，便認為其沒有功能，那麼萬物都不具有功能。知道東與西的方向是相互對立而又相互依存的，那麼事物的功能與分位便可確定了。從人們對事物的趨向來看，順着肯定的方向而肯定它，萬物沒有不是正確的；順着否定的方向而否定它，萬物沒有不是錯的。知道唐堯、夏桀各自為是而相互否定，人們的趨向和情操便可以看清楚了。過去堯、舜禪讓而稱帝，燕王噲將王位禪讓給子之，而燕國幾乎滅絕；商湯伐桀、周武王伐紂，皆爭戰而稱王；白公勝因爭鬥而滅亡。由此看來，爭鬥與禪讓的禮法，唐堯與夏桀的作為，它們的高貴還是卑賤是因時而異的，沒有一定的常規。樑棟之大可以用來攻擊敵城，而卻不能用來堵塞鼠穴，是說其器用大小不同；良馬駿駒，可以日馳千里，捕捉老鼠卻不及野貓和黃鼠狼，是說它們技能不同；貓頭鷹夜間能夠撮取跳蚤，眼睛能明察毫末之物，白天它睜大眼睛卻看不見大山，是說其物性不同。俗話說：何不效法正確的而拋棄錯誤的，效法治世和遠離亂世呢？這是不明白天地間事物變化的道理，萬物變化的真情。這好像是只效法天而拋棄地，只效法陰而拋棄陽一樣，這種做法是行不通的。然而世俗之人還是不住口地四處游說，他不是愚昧就是欺騙人！古代帝王的禪讓各不相同，夏商周三代相繼承亦各自相異。不合時宜，違背大眾意願而執政者，叫他為篡權的壞蛋！合於時宜，順應民心而當政者，叫他為具有高尚道義的人！閉嘴無言吧，河神！你哪裡知道貴賤與大小的道理呢？”

河神說：“我應當做甚麼，不當做甚麼呢？我將如何辭讓、接受、趨就和捨棄呢？”海神說：“用道的觀點看，貴與賤是向相反方向轉化的；不要拘執你的心志，與大道相背離。何謂少何謂多？多少是相互轉化的，不要一意孤行，與大道不合。要像國君那樣莊嚴、無私心；像祭祀社神那樣悠然自得，對百姓並無私愛和賜福；像大地那樣曠遠無窮。兼藏萬物，誰都不會受到庇護。萬物皆有生死變化，誰都不足依靠。大道在盈虛之中變化，並非拘守形體與名位。往昔的歲月無法回轉，流逝的時間無法留止。天地萬物的消亡、生息、充盈、虧虛，都在周而復始地變化着。明白這些道理，才能談論大道的學問，研討萬物的自然規律。萬物的生長，像馬兒急馳、馬車疾行。萬物無時不在變化。"

河神說："萬物在自行變化，為何又貴重大道呢？"海神說："明白大道的人，必然通達道理；通達道理的人，必然知道怎樣應變；知道應變，就不會為外物傷害了。有高尚道德修養的人，烈火不能燒傷，大水不能淹死，寒暑不能侵襲，禽獸不能殘害。並不是說'至德'之人，逼近水火、寒暑、禽獸而能免受傷害，而是說他能明察安危，對窮塞與通達能安之若命，能謹慎對待進退，所以才能免受傷害。古人說：'天性蘊藏在內心，人事顯露在身外，品德之美，在於天然形成。'懂得自然與人類活動的規律，方能順應自然，處於虛極而自得的境界。能進退自如，談論大道的至理。"河神說："甚麼叫做天然，甚麼叫做人為呢？"海神說："牛與馬天生有四隻腳，這就叫做天然；羈勒馬頭，貫穿牛鼻，這就叫做人為。古人說：'不要人為地毀滅天性，不要有心地毀滅天理，不要為追求虛名而喪生。謹慎地守住自然本性而不喪失，這就叫做返歸純真的本性。'"

夔一足而羨慕馬蚿蟲多足，馬蚿蟲羨慕蛇無足而行，蛇羨慕風無形，風羨慕眼睛能明察萬物，眼睛羨慕心靈能隱藏在內。夔問馬蚿蟲說：“我用一隻腳跳着行走，我不如你。你怎樣用眾足行走呢？”馬蚿蟲說：“不然。你沒看見唾沫嗎？唾沫噴出時大的如珠，小的如霧，散雜而下者，不計其數。我啟動天然的機能行走，並不知為何如此。”馬蚿蟲問蛇說：“我用眾足行走，還不如你無足走得快，這為甚麼？”蛇說；“我依靠天然的機能行走，是不能改變的，我哪裡是用足行走呢？”蛇問風說：“我啟動脊柱和脅骨而行走，還是像行走的樣子。你嗚嗚地從北海颳起，颳到南海，沒有一點行跡，這為甚麼？”風說：“我從北海颳起而颳至南海，人們用手指阻擋我，我並不能吹斷人的手指；人用腳踢踏我，也不能吹斷人的腳。雖然如此，折斷大樹，吹捲屋樑，只有我能做到。”所以，不與眾小爭勝，是為了取得大勝。能做到無所不勝，惟有聖人能如此。

孔子遊宦到衛國匡地，衛人把他包圍數層，而孔子卻照樣彈琴吟唱。子路問孔子說：“先生為何這樣快樂呢？”孔子說：“我忌諱窘困已經很久了，卻不能擺脫，是命運不好吧！我追求通達很久了，一直未能實現，是時運不好啊！在堯、舜的時代，天下沒有窘困不得志的人，並非因為他們智慧超群；在桀、紂的時代，天下沒通達得志的人，並非因為他們智慧低下。這是時代形勢造成的。在水中行走而不躲避蛟龍，是漁夫的勇敢；在陸地上行走而不躲避兕與虎，是獵人的勇敢；刀劍橫加眼前，視死若生，是壯烈之士的勇敢；明白窘困不得志是命運的安排，明白通達得志是時機使然，遇到大難而不懼怕，是聖人的勇敢。子路，你要安然處之。我的命運，對我是有制約的。”不久，率兵的首領走進來，辭謝說；“我們錯把你當成陽虎，把你圍起來，你既然不是陽虎，請讓我表示歉意而解圍而去。"

公孫龍問魏牟說："我小時學習先王之道，長大後懂得了仁義道德；持同異相合、堅白相離之論；能把非說成是、不可說成可；能使百家智士困惑，眾多善辯之口理屈辭窮，我認為自己最通達了。我聽說莊子的言論，茫然失措，感到奇異。不知我辯才不及他呢，還是我的智慧不如他。我已經無法開口了，請問是何道理？"

公子牟靠几歎息，仰面朝天而嗤笑說："你難道沒聽說淺井中的青蛙嗎？它對東海之鱉說：'我太快樂啦！出來騰跳在井欄上，進入休息在破損的井壁邊，跳進井水中而托住兩腋和面頰，踏進泥中爛泥埋上腳。回顧水中的孑孓、小蟹和蝌蚪，都不像我這樣快樂。我獨佔一坑之水，盤據在淺井的快樂，也算最大的快樂了！你為何不到井中看看呢？'東海之鱉左腳尚未進到井裡，右腳已經被井口絆住。於是便小心地把腿退出井口，把大海的情狀告訴井蛙說：'千里之行，不足以形容它的博大；千仞之長，不能量盡它的淵深。夏禹時代，十有九年洪澇，海水並沒有因此增加；商湯時代，八年有七年旱災，海水並沒有因此降低。它能隨着時間的推移而發生變化，不因雨量的多少而升降，這正是東海最大的快樂！'青蛙聽了這番話，便驚恐不安，茫然不知所措。智慧尚且不能明白是非的界限，竟想觀察莊子的至理之言，這就好像驅使蚊蟲背負山丘，馬蚿蟲奔馳於河海，必然是不能勝任的。智慧尚且不能談論精妙的理論，而卻自快於一時的口舌之利，這不就像淺井之蛙一樣嗎？莊子的學說正可以俯蹈黃泉之下，仰登蒼天之上，無論南北，四面暢達，不可測量；無論東西，始於無極，返歸於虛寂的大道。你卻用洞察萬物的眼光探求它，用雄辯爭勝的尺度求索它，這就像用竹管窺視蒼天，用鐵錐尖測量大地，不是太渺小了嗎？你沒聽說，燕國壽陵少年去趙國邯鄲學習步法嗎？沒有學到邯鄲步法，又忘掉原來自己走路的步法，只能爬着回燕國去。現在你快點走開，不然將會忘掉你原來的學業。"公孫龍張開嘴合攏不上，抬起舌頭不能放下，逃遁而去。

莊子在濮水釣魚。楚王派兩位大臣先去致意，說："楚王願將國家政務委託給你。"莊子手持釣竿，專心釣魚，不屑一顧，說："我聽說楚國有個神龜，已經死掉三千年了。楚王把它包上巾布裝在竹箱裡，珍藏在廟堂中。這個龜，寧肯死而留下骨殼顯示貴重呢？還是寧願活着而拖着尾巴在泥中呢？"兩位大臣說："寧願活着而拖着尾巴在泥中。"莊子說："你們走吧！我將願活着而拖着尾巴在泥中。"

惠施做了魏國的國相，莊子去看望他。有人告訴惠施說："莊子到魏國來，想取代你做宰相。"於是惠施非常害怕，便在都城搜索三天三夜。莊子前往去看他，說："南方有種鳥，名字叫鵷鶵。鵷鶵從南海飛去北海，不是梧桐樹不棲息，不是竹子的果實不吃，不是甜美如醴的泉水不喝。此時，貓頭鷹拾到一隻腐臭的老鼠，鵷鶵從它面前飛過，貓頭鷹仰頭看着鵷鶵，發出'嚇'的怒斥聲。現在，你也想用你的魏國來怒斥我吧？"

莊子與惠施在濠水橋上漫遊。莊子說："白條魚在河水中游得多麼悠閒自得，這是魚的快樂。"惠施說："你不是魚，怎麼知道魚的快樂呢？"莊子說："你不是我，怎麼知道我不知道魚的快樂呢？"惠施說："我不是你，固然不知你；你本來就不是魚，你不知道魚的快樂，是可以肯定的！"莊子說：“請返回你問我的本來之意。你說‘你哪裡知道魚快樂’的話，說明你已經知道我知魚快樂而在問我。我是在濠水的橋上知道的。”

評析

《秋水》篇為“借物名篇”。其體大思精，文情跌宕，恣肆汪洋，儀態萬方。是《莊子》書中的名篇之一。本文上承《齊物論》的觀點，說明事物的大小、是非都是相對的，人生的貴賤與榮辱也是無常的。因此，要掌握人類活動的規律，應當順應自然，與時俱化。不要為追求富貴、虛名而毀滅天性。只要“無以人滅天，無以故滅命，無以得殉名”，就能返歸純樸的自然本性。

由於作者過分地強調事物的大小和事理的無限相對性，因而便陷入了相對主義的泥潭。儘管如此，作者還是生動地闡明了宇宙的無限性和事物的局限性、事理的無窮性和認識的相對性，而表現出對相對與絕對、有限與無限關係的辯證理解，這便有助於人們克服盲目自大、突破認識的局限性，而領悟天地宇宙的無限廣大。

本文的特點，從結構上而言，分為前後兩部分。前部分，由河神河伯和海神海若七番問答構成，如剝蕉心，一層更進一層，“其寓意俱在隱躍之間，是最活潑文字”（宣穎《南華經解》）。

第一番問答，從“大”而言，認為天地宇宙具有無限性，事物之大，並不足稱。其中寫河伯看見大海寬廣無邊，便“望洋興歎”，而方知自己盲目自大，會見笑於“大方之家”。這對現實生活中沒有見過世面而盲目自大、驕傲自滿、自認為自己是甚麼"天才"那種"井中之蛙"式的人，頗有諷刺和教育意味。

第二番問答，兼論大小，而說明天地並不足以"窮至大"，毫末亦不足以"定至細"。因為；"物量無窮，時無止，分無常，終始無故。"所以，認為非大智者，不能窮其所至。

第三番問答，說明"可以言論者，物之粗也；可以意致者，物之精也。言之所不能論，意之所不能致者，不期（不限於）精粗焉。"只有得道之人，方能"知是非之不可分，細大之不可為倪（限定）"。在這裡，莊子首先提出了在科學和文學藝術領域，那種"只可意會，不可言傳"的命題。

第四番問答，說明一切都是相對的。就貴與賤而言，"物無貴賤"，因為"貴賤有時，未可以為常"。其中莊子說："帝王殊禪，三代殊繼"；"差其時，逆其俗者，謂之篡夫。當其時，順其俗者，謂之義之徒。"可見，莊子憤世疾俗，愛憎分明，是一個熱切關心現實的哲學家和文學家。

第五番問答，是關於"何為"、"何不為"的問題。說明"萬物齊一"，無長無短，因而要"兼懷萬物"。但是，"物之生也，若驟若馳；無動而不變，無時而不移"。"道無終始，物有死生，不恃其成"。因此要無為"自化"——順應自然，因勢利導。

第六番問答，關於"達理"、"明權"和天人分際的問題。認為通曉大道的人，能"達理"、"明權"，即通達萬物消亡、生息、充盈、虧虛的道理，知道遇事怎樣應變。明於權變者：方能"察乎安危，寧於禍福"，"不以物害己"；方能懂得自

然和人類活動的規律，而順應
自然變化，處於自得自適的自
由境界。其中所寫"至德
者"："火弗能熱，水弗能
溺，寒暑弗能害，禽獸弗能
賊……莫之能害也。"與《齊
物論》篇被神化了的"至人"一
樣，都是指得道之人——道家
的化身。

　　第七番問答，承前段天人分際說起，說明生來便有的謂之
"天"，人為造作的謂之"人"。所以，得道之人認為："無以
人滅天，無以故滅命，無以得殉名。謹守而勿失，是謂反其
真。"意思是說："不要人為地毀滅天性，不要有心故意為之
而毀滅性命，不要為追求得到富貴而喪失名聲。謹慎地守住天
性而不喪失，這就叫返歸純真的自然本性。"在此，莊子告誡
世人，不要耆慾膨脹，要返璞歸真。

　　後部分六則寓言故事，分應"無以人滅天"五句。具體地
說，"夔憐蚿"的寓言，意在說明天機所動，各有自然，彼之
所難，此之所易，難易不在多少有無。可見正是在闡發"無以
人滅天"之意。

　　"孔子遊於匡"的寓言故事，說明窮達有命，不可人為求
之，是在闡發"無以故滅命"之意。

　　"公孫龍問於魏牟"的寓言故事，是申發"無以得殉命"之意。

　　"莊子釣於濮水"的寓言，是說莊子不願做官而損害自然本
性。正是再次申發"無以得殉名"之意。

“惠子相梁”的寓言，是三申“無以得殉名”之旨。陸西星評論此則寓言云：“世道交情，觀此可發一長笑。莊子直為千古寫出鄙夫鄙吝之態，只以一字（嚇）形之。妙哉，妙哉！”（《南華經副墨》）劉鳳苞云：“腐鼠一喻，極雋極毒，所謂嬉笑怒罵，皆成文章也！”（《南華雪心編》）

“濠梁觀魚”的寓言，說明人情物理，可以相推而知。魚樂濠梁之下，人樂濠梁之上，皆為自然天性。顯然，這是申發“返其真”之意。此則寓言，表現了莊子和惠子甚有辯才，千百年來，頗為人們津津樂道。

達生

達生之情者，不務生之所無以為；[1]達命之情者，不務知之所無奈何。[2]養形必先之以物，物有餘而形不養者有之矣；[3]有生必先無離形，形不離而生亡者有之矣。[4]生之來不能卻，其去不能止。[5]悲夫！世之人以為養形足以存生，而養形果不足以存生，則世奚足為哉！[6]雖不足為不可不為者，其為不免矣！[7]

夫欲免為形者，莫如棄世。[8]棄世則無累，無累則正平，[9]正平則與彼更生，[10]更生則幾矣！[11]事奚足棄而生奚足遺？[12]棄事則形不勞，遺生則精不虧。[13]夫形全精復，與天為一。[14]天地者，萬物之父母也；合則成體，散則成始。[15]形精不虧，是謂能移。[16]精而又精，反以相天。[17]

子列子問關尹曰：[18]"至人潛行不窒，蹈火不熱，行乎萬物之上而不慄。[19]請問何以至於此？"

關尹曰："是純氣之守也，[20]非知巧果敢之列。[21]居，予語女。[22]凡有貌象聲色者，皆物也。[23]物與物何以相遠！[24]夫奚足以至乎先？是色而已。[25]則物

莊子像 《聖哲畫像記》

之造乎不形，而止乎無所化。[26]夫得是而窮之者，物焉得而止焉！[27]彼將處乎不淫之度，[28]而藏乎無端之紀，[29]遊乎萬物之所終始，[30]壹其性，[31]養其氣，[32]合其德，[33]以通乎物之所造。[34]夫若是者，其天守全，[35]其神無郤，[36]物奚自入焉！[37]夫醉者之墜車，雖疾不死。[38]骨節與人同，而犯害與人異，其神全也。[39]乘亦不知也，墜亦不知也，死生驚懼不入乎胸中，是故遌物而不慴。[40]彼得全於酒而猶若是，而況得全於天乎？[41]聖人藏於天，故莫之能傷也。復仇者，不折鏌干；[42]雖有忮心者，不怨飄瓦，[43]是以天下平均。[44]故無攻戰之亂，無殺戮之刑者，由此道也。[45]不開人之天，而開天之天。[46]開天者德生，開人者賊生。[47]不厭其天，不忽於人，民幾乎以其真。"[48]

注釋

1. 本篇為"以義名篇"。達：通達，通曉。務：求。無以為：猶言無用為此（陸西星《南華經副墨》）。

2. 命：壽夭。知：當為"命"字之誤（馬敘倫《莊子義證》）。兩句意謂：通曉壽夭實情的人，不去做對壽夭無能為力的事。

3. 以物：謂具備物質條件。形不養：形體不能保養。

4. 無離形：使形體不離生命。亡：死亡。

5. 卻：拒絕。止：阻止，挽留。

6. 奚足：何足。句意謂：世人還有甚麼值得做的呢？

7. 其：指世人。為：做事。不免：不可避免。

8. 免為形：避免為形體操勞。棄世：謂拋棄繁雜之事而心超世外（劉

莊周聖陵　河南民權縣唐莊

　　鳳苞《南華雪心編》）。

9. 正平：謂心正氣平（劉鳳苞《南華雪心編》）。

10. 彼：指大自然，即造化。更生：循環推移。

11. 幾：庶幾，近。這裡指近於大道。

12. 遺：遺忘。

13. 精不虧：精神不會虧損。

14. 精復：精神恢復不虧。天：指自然。一：融為一體。按：此兩句，
　　為全篇主旨所在。

15. 始：謂無物之始初。兩句意謂：天地陰陽二氣的結合，就形成萬物
　　的形體；陰陽二氣離散，又復歸於無物之初。

16. 能移：能與自然更移。

17. 相：助。天：指大自然。兩句意謂：養精之至，反過來便能輔助大
　　自然的化育。按：此段說明，養生不應厚養形骸，應以全神為本。

18. 子列子：對列御寇的尊稱。古人稱師曰子，亦是有德之人的嘉名。

關尹：姓嚴，名喜，字公度，為函谷關令（成玄英《莊子疏》）。按：關尹，尚有他說，這裡略而不贅。

19. 至人：得道之人。潛行：潛入水中行走。窒：窒息。行乎萬物之上：謂登高山、履危石、臨百仞之淵（林雲銘《莊子因》）。栗：戰慄。

20. 純氣：純和的元氣。守：持守。

21. 知：通“智”。列：類。

22. 居：坐下。語：告訴。女：通“汝”，你。

23. 貌象聲色：形貌、跡象、聲音、色彩。物：指一切有形跡聲色可見聞者。

24. 相遠：區別很大。

25. 奚足以至先：謂為何有的先到眼前。是色而已：謂是由於物的形貌、色彩所致。按：江南古藏本，“色”上有“形”字。

26. 乎：於。不形：無形。止：靜止。化：變化。

27. 得是：謂明白物的形成與變化的道理。是，此。窮：窮盡。物：外物。止：阻止。

28. 彼：指至人。不淫之度：不過分的限度。淫，過分。

29. 藏：藏身。無端之紀：無首無尾，指道。紀，緒。

30. 終始：指終始之處。

31. 壹其性：謂純一其心性而不雜。

32. 氣：元氣。

33. 合其德：謂與自然天德相合而不失。

34. 通：相通。物之所造：即造物者，也就是生成萬物的大道。

35. 天：自然天性。守全：保持完全。

36. 郤（xì）：通“隙”，間隙。

37. 奚自入：謂從哪裡侵入。

38. 墜車：從車上顛墜地上。疾：摔傷。

39. 犯害：受害。神全：精神未虧損。

40. 遌（è）：通“逆”，遇到。慴（shè）：懼怕。

41. 彼：指醉酒者。天：指自然，即大道。

42. 鏌干：即鏌鋣、干將，皆古代良劍名。

43. 忮（zhì）：嫉恨，嫉妒。飄瓦：無心飄落的瓦片。

44. 是以：因此。平均：謂太平安寧。

45. 由此道也：謂就是由於保持這無心的自然之道。

46. 人之天：謂情慾。天之天：謂自然恬淡。

47. 德生：有德，即有益。賊生：有害於人生。賊，害。

48. 不厭天：不厭惡自然變化。不忽於人：不忽視人性的伸展。真：真
　　性。按：此段說明，保持精神純真，對養生至關重要。

　　仲尼適楚，出於林中，[49]見痀僂者承蜩，猶掇之也。[50]
仲尼曰：“子巧乎，有道邪？”[51]曰：“我有道也。五六
月累丸二而不墜，則失者錙銖；[52]累三而不墜，則失者十
一；[53]累五而不墜，猶掇之也。吾處身也，若厥株拘；[54]吾
執臂也，若槁木之枝。[55]雖天地之大，萬物之多，而唯蜩
翼之知。[56]吾不反不側，不以萬物易蜩之翼，何為而不
得！”[57]孔子顧謂弟子曰：“用志不分，乃凝於神。[58]其
痀僂丈人之謂乎！”[59]

　　顏淵問仲尼曰：“吾嘗濟乎觴深之淵，[60]津人操舟若
神。[61]吾問焉曰：‘操舟可學邪？’曰：‘可。善游者數
能。[62]若乃夫沒人，則未嘗見舟而便操之也。’[63]吾問焉
而不吾告，敢問何謂也？”[64]

　　仲尼曰：“善游者數能，忘水也。[65]若乃夫沒人之未
嘗見舟而便操之也，彼視淵若陵，視舟之覆猶其車卻也。[66]

覆卻萬方陳乎前而不得入其舍，惡往而不暇！[67]以瓦注者巧，[68]以鈎注者憚，[69]以黃金注者殙。[70]其巧一也，而有所矜，則重外也。[71]凡外重者內拙。"[72]

注釋

49. 仲尼：孔子，字仲尼。適：往。出於：經過。

50. 痀僂（jū lóu）：駝背。承：粘。蜩（tiáo）：蟬。掇（duō）：拾取。

51. 巧：巧妙，靈巧。道：指技藝。

52. 五六月：經過五、六月的練習。失：失誤。錙銖（zī zhū）：古代重量單位，六銖為一錙，四錙為一兩。這裡比喻甚少。

53. 十一：十分之一。

54. 厥：一做"橛"，豎。株：樹根土上部分。拘：根盤錯處。按：這裡比喻立定身軀，像豎起的樹根那樣靜止不動。

55. 執臂：用臂執竿。槁木：枯木。按：以上四句，說明已經達到凝神忘形之境界。

56. 唯：只有。知：知道。

57. 不反不側：不移動身臂。易：改變。何為：即"為何"。

58. 用志：用心。凝於神：即精神凝聚專一。

59. 丈人：對老人的尊稱。按：此則寓言說明，精神凝聚專一，物我兩忘，在技藝上便能達到出神入化的作用。

60. 濟：渡。觴深：淵名。劉鳳苞云："湧出如觴，其處深險，所謂濫觴是也。"（《南華雪心編》）。

61. 津人：擺渡人。操舟：駕船。若神：謂其靈巧，其技如神。

62. 數能：多能。數，數次，多次。

63. 若乃：至於。夫：那。沒人：會潛水的人。

64. 不吾告：即"不告吾"。何謂：何意。

65. 忘水：忘記水能淹死人。

66. 彼：指沒人。若陵：猶如陸地上的小丘。覆：傾翻。卻：退卻。即從高坡向後倒退。

67. 萬方：萬端，即千萬種情景。陳：呈現。舍：指心。惡：何。暇：閒暇自得。

68. 注：下賭注。巧：心計靈巧。

69. 鈎：帶鈎，多用青銅製成。憚：怕。

70. 殙（hūn）：通“昏”，心志昏亂。

71. 巧一：心智一樣。矜：顧惜。重外：注重外物。

72. 外重內拙：看重外物，內心就笨拙。林雲銘云：“重在外，則心已為外所分，故拙也。”（《莊子因》）按：此則寓言，以操舟、賭注做比喻，說明內心無擾，則技藝精湛，無往而不自適。曲折地說明，使用此道，亦能養生。

　　田開之見周威公。[73]威公曰：“吾聞祝腎學生，[74]吾子與祝腎遊，[75]亦何聞焉？”田開之曰：“開之操拔篲以侍門庭，亦何聞於夫子！”[76]

　　威公曰：“田子無讓，寡人願聞之。”[77]開之曰：“聞之夫子曰：‘善養生者，若牧羊然，視其後者而鞭之。’”[78]威公曰：“何謂也？”

　　田開之曰：“魯有單豹者，[79]岩居而水飲，不與民共利，[80]行年七十而猶有嬰兒之色，[81]不幸遇餓虎，餓虎殺而食之。有張毅者，高門縣簿，無不走也，[82]行年四十而有內熱之病以死。[83]豹養其內而虎食其外，毅養其外而病攻其內。此二子者，皆不鞭其後者也。”[84]

仲尼曰："無入而藏,[85] 無出而陽,[86] 柴立其中央。[87] 三者若得,其名必極。[88] 夫畏塗者,十殺一人,[89] 則父子兄弟相戒也,必盛卒徒而後敢出焉,[90] 不亦知乎?[91] 人之所取畏者,衽席之上,飲食之間,而不知為之戒者,過也[92]!"

注釋

73. 田開之:姓田,名開之,學養之人。周威公:周桓公之子,名不傳。

74. 祝腎:姓祝,名腎,為學習養生之道者。學生:學習養生之道。

75. 吾子:相親之辭。遊:遊學。

76. 拔篲(huì):掃帚。夫子:指祝腎。按:古人從師,皆持帚以充役。

77. 無讓:不要謙虛。讓,謙虛。寡人:寡德之人。這裡是古代王侯自稱的謙辭。古代王侯的夫人,亦自稱寡人。如《詩經·邶風·燕燕》:"先君之思,以勖寡人。"

78. 鞭之:鞭趕落後之羊。按:以牧羊比喻養生,鞭趕落後之羊,讓其執中無偏,則不會遭害。

79. 單豹:魯國人,姓單,名豹,隱者。

80. 岩居:在山中岩洞裡居住。水飲:飲用泉水。共利:爭利。

81. 行年:度過的年歲。

82. 張毅:亦魯國人,以謙恭著稱。高門:指大戶有錢人家。縣簿:即懸掛帷簾為門戶的窮人。縣,通"懸"。走:謂看望。

83. 內熱之病:為謀名利而引起的心火疾病。

84. 不鞭其後:謂不補其不足。

85. 無入而藏:謂不要深入岩穴而隱藏自己。

86. 無出而陽:謂不要奔走於世俗而顯露自己。陽:顯露。

87. 柴立：枯立。句意謂：像枯木一樣立於中間，既不隱藏，也不顯露。

88. 其名必極：謂必然會達到養生之名。極：盡。

89. 畏塗：艱險多盜之途。塗，通"途"。十殺一人：十人經過，便有一人被殺。

90. 相戒：相互警戒。盛卒徒：聚集眾多的人。

91. 不亦知乎：不是很聰明的嗎？知：通"智"。

92. 取：江南古藏本作"最"。衽席：臥席。過：過錯。按：此段通過不同比喻，說明善養生者，應當不隱藏、不顯露，房事不縱慾、飲食不失度。

　　祝宗人玄端以臨牢筴。[93]說彘曰："汝奚惡死？[94]吾將三月豢汝，十日戒，三日齊，[95]藉白茅，加汝肩尻乎雕俎之上，則汝為之乎？"[96]為彘謀，[97]曰："不如食以糠糟，而錯之牢筴之中。"[98]自為謀，[99]則苟生有軒冕之尊，死得於腞楯之上、聚僂之中則為之。[100]為彘謀則去之，自為謀則取之，所異彘者何也！[101]

　　桓公田於澤，[102]管仲御，[103]見鬼焉。[104]公撫管仲之手曰：[105]"仲父何見？"[106]對曰："臣無所見。"公反，誒詒為病，[107]數日不出。

　　齊士有皇子告敖者，[108]曰："公則自傷，鬼惡能傷公！[109]夫忿滀之氣，散而不反，則為不足；[110]上而不下，則使人善怒；[111]下而不上，則使人善忘；[112]不上不下，中身當心，則為病。"[113]桓公曰："然則有鬼乎？"曰："有。沈有履，[114]灶有髻。[115]戶內之煩壤，雷霆處之¹¹⁶；東北方之下者，倍阿、鮭蠪躍之；¹¹⁷西北方之下者，則泆陽處之。¹¹⁸水有罔象，¹¹⁹丘有峷，¹²⁰山有夔，¹²¹野有彷徨，¹²²澤有委蛇。"¹²³

公曰："請問委蛇之狀何如？"¹²⁴皇子曰："委蛇，其大如轂，其長如轅，紫衣而朱冠。¹²⁵其為物也，惡聞雷車之聲，¹²⁶則捧其首而立。見之者殆乎霸。"¹²⁷桓公輮然而笑曰：¹²⁸"此寡之所見者也。"於是正衣冠與之坐，¹²⁹不終日而不知病之去也。¹³⁰

注釋

93. 祝宗人：主持祭祀的官吏。玄端：黑色禮帽。這裡指穿着禮服。玄，黑色。端，冠。臨：靠近。牢筴：豬欄。牢，豬室。筴，木柵。

94. 奚：何。惡死：怕死。

95. 豢：通"豢"，豢養。齊：通"齋"。《朱子本義》云："湛然純一謂之齊，肅然警惕謂之戒。"

96. 藉：鋪墊。尻：臀部。俎：盛祭品的祭器。為之：願意如此。

97. 為彘謀：替豬着想。彘：豬。

98. 錯：置。

99. 自為謀：為自己着想。

100. 苟：希冀。軒冕：華貴的馬車和禮帽，借指顯貴。腞楯（zhuàn shǔn）：繪着文采的柩車。腞，畫飾。楯，柩車。聚僂（lóu）：棺槨。

101. 異：不同。按：此則寓言，說明貪圖富貴的人，顛倒智愚，不通達養生之道。

102. 桓公：齊桓公，姓姜，名小白，春秋時代五霸之一。田：打獵。
    澤：草澤。

103. 管仲：姓管，名夷吾，字仲。為齊相，助桓公成就霸業。御：駕
    車。

104. 見鬼：看見鬼怪。

105. 撫：拉，握。

106. 仲父：稱之為"仲父"，有事之如父的意思。

107. 反：通"返"，回。誒詒（xī yí）：疲憊困怠。

108. 齊士：齊國的賢士。皇子告敖：姓皇子，字告敖。

109. 惡：何。

110. 忿滀（chù）：鬱結，鬱滯。不足：謂精神萎靡不振。

111. 善怒：好怒，易怒。

112. 善忘：易忘。

113. 中身當心：鬱結體內，攻入五臟。

114. 沈：通"沉"，水下污泥。履：鬼名。

115. 髻：灶神名，狀如美女，着赤衣。

116. 煩壤：糞壤。雷霆：鬼名。

117. 倍阿、鮭蠪（wā lóng）：皆為鬼名。躍：跳躍。

118. 泆（yī）陽：鬼名。

119. 罔象：鬼怪名。

120. 峷（zhēn）：山鬼名。

121. 夔：木石妖怪名。

122. 彷徨：鬼名。

123. 委蛇：鬼名。

124. 何如：如何，怎樣。

125. 轂（gǔ）：車輪中心插軸的部件，這裡指車輪。轅：車轅，即馬
    車前駕馬匹的兩根直木。朱冠：紅帽子。

126. 為物：作為怪物。惡：厭惡。雷車之聲：如雷一般的車聲。

127. 殆：大概，差不多。

128. 輆（zhěn）然：喜笑的樣子。

129. 正衣冠：整理衣帽。

130. 不終日：不到一日。不知：不知不覺。

紀渻子為王養鬥雞。[131] 十日而問："雞已乎？"[132] 曰："未也，方虛憍而恃氣。"[133] 十日又問，曰："未也，猶應向景。"[134] 十日又問，曰："未也，猶疾視而盛氣。"[135] 十日又問，曰："幾矣，雞雖有鳴者，已無變矣。[136] 望之似木雞矣，其德全矣。[137] 異雞無敢應者，反走矣。"[138]

孔子觀於呂梁，[139] 縣水三十仞，[140] 流沫四十里，[141] 黿鼉魚鱉之所不能游也。[142] 見一丈夫游之，以為有苦而欲死也。[143] 使弟子並流而拯之。[144] 數百步而出，被髮行歌而游於塘下。[145] 孔子從而問焉：[146] 曰："吾以子為鬼，察子則人也。[147] 請問，蹈水有道乎？"[148] 曰："亡，[149] 吾無道。吾始乎故，長乎性，成乎命。[150] 與齊俱入，與汨偕出，從水之道而不為私焉。[151] 此吾所以蹈之也。"孔子曰："何謂始乎故，長乎性，成乎命？"曰："吾生於陵而安於陵，故也；長於水而安於水，性也；不知吾所以然而然，命也。"[152]

梓慶削木為鐻，[153] 鐻成，見者驚猶鬼神。[154] 魯侯見而問焉，曰："子何術以為焉？"[155] 對曰："臣，工人，[156]

何術之有！雖然，有一焉。[157] 臣將為鐻，未嘗敢以耗氣也，必齊以靜心。[158] 齊三日，而不敢懷慶賞爵祿；[159] 齊五日，不敢懷非譽巧拙；[160] 齊七日，輒然忘吾有四枝形體也。[161] 當是時也，無公朝，[162] 其巧專而外骨消。[163] 然後入山林，觀天性，形軀至矣，[164] 然後成見鐻，然後加手焉；[165] 不然則已。[166] 則以天合天，器之所以疑神者，其是與！”[167]

東野稷以御見莊公，[168] 進退中繩，左右旋中規。[169] 莊公以為文弗過也，[170] 使之鈎百而反。[171] 顏闔遇之，入見曰：[172] “稷之馬將敗。”[173] 公密而不應。[174] 少焉，果敗而反。[175] 公曰：“子何以知之？”曰：“其馬力竭矣而猶求焉，[176] 故曰敗。”

工倕旋而蓋規矩[177]，指與物化，而不以心稽，[178] 故其靈台一而不桎。[179] 忘足，履之適也；[180] 忘要，帶之適也；[181] 知忘是非，心之適也；[182] 不內變，不外從，事會之適也。[183] 始乎適而未嘗不適者，忘適之適也。[184]

注釋

131. 紀渻（shěng）子：姓紀，名渻子。王：指齊王。鬥雞：好鬥之雞。鬥雞，是古人設賭的一種遊戲。

132. 雞已乎：意謂雞養好而可鬥了嗎？

133. 虛憍：虛浮矜驕。憍，通“驕”。恃氣：自恃意氣。

134. 猶應向景：謂聽見雞鳴之聲，看見雞的身影，還能產生欲鬥反應。應，欲鬥反應。向，通“響”，謂雞鳴聲。景，通“影”，雞的身影。

135. 疾視：顧視疾速。盛氣：鬥氣旺盛。

136. 幾：差不多。無變：沒有變化。

137. 德全：德性完備。指鬥雞而言。

138. 異雞：別的雞。反走：轉身逃走。反：通“返”。按：此則寓言意在說明，養生應以養神全性為尚。

139. 觀：觀賞風光。呂梁：地名，在今江蘇省徐州附近（《水經注》）。

140. 縣水：即瀑布。縣，通“懸”。仞：八尺為一仞。或謂七尺為一仞。

141. 流：激流。沫：浪花。

142. 黿（yuán）：鱉的一種。鼉（tuó）：俗叫“豬婆龍”，是鱷魚的一種。

143. 丈夫：古代對成年男子的稱呼。有苦：有難言之痛。

144. 並流：傍流。並，通“傍”（王先謙《莊子集解》）。拯：拯救。

145. 被：通“披”。行歌：邊游邊唱。

146. 從而問焉：謂於是便問他。

147. 子：你。察：仔細觀察。

148. 蹈水：游泳。道：方法。

149. 亡：通“無”，沒有。

150. 故：故常，本然。性：習性。命：自然之理（宣穎《南華經解》）。

151. 齊：通“臍”，漩渦，因漩渦形似肚臍，故稱臍。汨（gǔ）：上湧的激流，回伏而湧出。不為私：謂不自做主張逆水而動。

152. 陵：山陵。按：此則寓言故事，說明順遂水性游泳，“不為私焉”，就不會被水傷害。這也正是養生的妙道秘訣。

153. 梓慶：姓梓，名慶，魯國木匠。或謂梓為官號。鐻（jù）：懸掛鐘磬的木架。

154. 驚猶鬼神：驚歎為鬼斧神工。

155. 子：你。術：技術。以為：做木架。

156. 工人：做工匠的人。

157. 有一焉：還是有一種技術。

158. 耗氣：耗費神氣。齊：通"齋"，齋戒。

159. 慶賞爵祿：慶祝、獎賞、賜爵、俸祿。

160. 非譽巧拙：非議、讚譽、精巧、拙劣。

161. 輒然：不動的樣子。枝：通"肢"。

162. 公朝：公室與朝廷。

163. 巧專：智巧專一。外骨：外界紛亂的事物。骨，通"滑"，亂。

164. 形軀：樹木的形體。至：看到，尋到。

165. 成見鐻：謂做成鐻的形象呈在眼前。加手焉：便着手做鐻。

166. 已：止。句意謂：看不到此種景象，就不着手做鐻。按：言外之
    意，已經胸有成鐻，否則，就不做鐻。

167. 以天合天：以我自然之天性合樹木之自然之天性。器：指鐻。疑
    神：被人疑為神工。其是與：就是這樣吧！與，通"歟"。按：
    此則寓言，說明梓慶削木為鐻，能"以天合天"，故"見者驚猶
    鬼神"。而這也正是養生所遵循的原則。

168. 東野稷：姓東野，名稷，善御之人。御：駕車。莊公：或謂魯莊
    公，或謂魯定公。

169. 進退：前進後退。中繩：像繩子那樣直。中規：像規畫圖那樣
    圓。

170. 文：為"造父"之誤（吳汝綸《莊子點勘》）。《荀子》、《呂
    氏春秋》、《新序》、《孔子家語》等皆作"造父"。造父：古
    代善御者。弗過：不能超過。

171. 鈎百：駕車轉一百個圈。鈎，讓馬車打轉。

172. 顏闔：姓顏，名闔，魯國的賢人。

173. 將敗：表演將失敗。

174. 密：默。不應：不做聲。

175. 少焉：過一會。反：通“返”，返回。

176. 求：指驅趕。按：此則寓言，以馬力竭則敗，暗示養生應當養身全神，不能消耗體力和精神。

177. 工倕（chuí）：堯時巧匠。或謂黃帝時巧匠。旋：旋轉，指用手指畫圖。蓋：借為“盍”，合。規矩：畫圖用的規與矩。

178. 與物化：隨物變化。稽：思考。

179. 靈台：即靈府，心靈。不桎：不桎梏，即不受拘束。

180. 履之適：穿鞋就會感到舒適。

181. 要：通“腰”。帶之適：繫腰帶就會感到舒適。

182. 知：疑為衍字，張君房本、文如海本皆無此字。心：內心。

183. 不內變：不改變內心的持守。不外從：不受外物的影響。事會：遇事。

184. 始：指始初的本性。忘適之適：忘掉安適的安適。按：此則寓言說明，順應自然，則無往而不適。養生者，亦當如此。

有孫休者，[185]踵門而詫子扁慶子曰：[186]“休居鄉不見謂不修，[187]臨難不見謂不勇。[188]然而田原不遇歲，[189]事君不遇世，[190]賓於鄉里，[191]逐於州部，[192]則胡罪乎天哉？[193]休惡遇此命也？”[194]

扁子曰：“子獨不聞夫至人之自行邪？[195]忘其肝膽，遺其耳目，[196]芒然彷徨乎塵垢之外，逍遙乎無事之業，[197]是謂為而不恃，長而不宰。[198]今汝飾知以驚愚，[199]修身以明污，[200]昭昭乎若揭日月而行也。[201]汝得全而形軀，[202]具而九竅，[203]無中道夭於聾盲跛蹇而比於人數，亦幸矣，[204]又何暇乎天之怨哉？子往矣！”[205]

孫子出，扁子入。²⁰⁶坐有間，仰天而歎。弟子問曰：“先生何為歎乎？”²⁰⁷扁子曰：“向者休來，吾告之以至人之德，²⁰⁸吾恐其驚而遂至於惑也。”²⁰⁹弟子曰：“不然。孫子之所言是邪？²¹⁰先生之所言非邪？²¹¹非固不能惑是。²¹²孫子所言非邪？先生所言是邪？彼固惑而來矣，又奚罪焉？”²¹³

扁子曰：“不然。昔者有鳥止於魯郊，²¹⁴魯君說之，為具太牢以饗之，奏《九韶》以樂之。²¹⁵鳥乃始憂悲眩視，²¹⁶不敢飲食。此之謂以己養養鳥也。²¹⁷若夫以鳥養養鳥者，²¹⁸宜棲之深林，浮之江湖，食之以委蛇，則安平陸而矣。²¹⁹今休，款啟寡聞之民也。²²⁰吾告以至人之德，譬之若載鼷以車馬，樂鴳以鐘鼓也，彼又惡能無驚乎哉！”²²¹

注釋

185. 孫休：姓孫，名休，魯國人。

186. 踵：至。詫：告訴。子扁慶子：姓扁，名慶子，魯國的賢人，孫休的老師。前“子”字，是對先生的尊稱。

187. 見：被。謂：稱，說。不修：沒有修養。

188. 臨難：遇到危難。勇：勇敢。

189. 田原：在田原耕作。田，作動詞。歲：謂豐年。

190. 事君：為國君做事。世：指聖明時代。

191. 賓於鄉里：謂被鄉里人排斥。賓：通“擯”，排斥。

192. 逐：驅逐，放逐。州部：州邑，指官吏。

193. 胡：何。

194. 惡：何。也：通"邪"。

195. 獨：特。至人：得道之人。自行：自我修養。

196. 肝膽：代指身體。遺：忘。

197. 芒然：無知無識的樣子。芒，通"茫"。彷徨：放縱自適。塵垢：塵世，即世俗。無事之業：無為之事。

198. 為：有作為。恃：以功自恃。長：化育萬物。宰：主宰。按：此兩句，出自《老子》。

199. 飾知：修飾智慧。驚愚：驚嚇俗愚。

200. 明污：顯明他人的污穢。

201. 昭昭：明亮的樣子。揭：舉。

202. 全：保全。而：通"爾"，你。下同。

203. 具而九竅：謂備你的九竅。九竅，指眼、耳、鼻、口七竅和前陰、後陰兩竅。

204. 中道：指人生途中。夭：夭傷。蹇（jiǎn）：跛。比於人數：列在常人的行列。比，列。幸：幸運。

205. 往：去，走。

206. 入：進入室內。

207. 何為：即"為何"。

208. 向者：剛才。德：品德。

209. 惑：迷惑。

210. 所言是：所說是對的。

211. 所言非：所說是錯的。

212. 固：本來。惑是：不能使正確迷惑。惑，作動詞。

213. 罪：過。

214. 止於魯郊：飛到魯國京城的郊外。

215. 說之：喜歡此鳥。具：具備。太牢：祭祀，牛、羊、豬三牲具備為"太牢"。饗（xiǎng）：款待。《九韶》：舜時的樂曲。

216. 始：只。眩視：眼花。

217. 以己養養鳥：用自己的生活方式養鳥。

218. 以鳥養養鳥：用養鳥的方法養鳥。

219. 委蛇：指泥鰍。安平陸：就像生活在陸地上。按：郭慶藩本無
"安"字，據陳碧虛《莊子闕誤》引劉得一本增補。

220. 款啟：開竅至小，謂所見甚小。款，小竅。民：人。

221. 載鼷以車馬：即"以車馬載鼷"，謂用馬車載小老鼠。鼷（xī）：
小鼠。樂鴳以鐘鼓：即"以鐘鼓樂鴳"，謂用鐘鼓之聲讓鴳雀快
樂。鴳（yàn），通"鶠"，小鳥。按：此則寓言，林雲銘曰：
"全生之道，非至人莫能知，亦非至人莫可語也。"（《莊子
因》）。換句話說，養生全身之道，只能與有識之士談論，否則
等於對牛彈琴。

串講

通達生命規律的人，不做對生命無用之事；通達夭亡的
人，不做對夭亡無能為力的事。保養身體，先要具備物質條
件；物質有餘，而有的人卻不能保養身體。保住生命，必須形
體不離去；而有的人形體雖未離去，而生命卻死亡了。生命的
誕生，是無法拒絕的；生命的死亡，也是不可挽留的。可悲的
是，世俗之人認為保養身體，就能保住生命。如果保養身體，
不能保住生命，那世俗之人還有甚麼值得做的呢？雖然，沒有
甚麼值得可做，他們做事是不可避免的。

要想避免為身體操勞，不如拋棄繁雜的事務。拋棄繁雜的
事務，就沒有外物牽累；沒有牽累，就心正氣平；心正氣平，
就能與自然一同推移變化；能同自然一起變化新生，就接近大
道了。為何要拋棄事務呢？為何要遺忘生命呢？拋棄事務，身

體就不會勞累；遺忘生命，精神就不會虧損。能保住身體，精神得到恢復和凝聚，就能與自然融為一體。天地是萬物生長、繁衍的父母，天地陰陽二氣結合就形成萬物的形體，陰陽二氣離散就又復歸於無物之初。形體與精神不虧損，這叫做能隨着自然變化而更新。善於保養精神，反過來又能輔助大自然的化育。

列子問關尹說：“得道之人潛水不會窒息，腳踩烈火不覺灼熱，登臨險山不戰慄。怎樣才能達到這種境界呢？”

關尹說：“這是能持守純和元氣的緣故，並非靠智巧、果敢所致。凡是有形貌、跡象、聲音、色彩的東西，都是物。皆為物，為何差別很大呢？為何有的先映入眼簾呢？這都是由於物的形貌、色彩所致。物是由無形的大道所締造，在沒有變化的狀態下才靜止。能夠明白大道哲理的人，外物是不能阻止他進入這種境界的。他將處於大道的限度內，藏身於無首無尾的大道之中，遊於萬物所借以終、借以始之處，純一其本性，保養其元氣，與自然天德相合，與生成萬物的大道相通。像這樣的人，能保持自然天性，精神就不會虧損，外物就不能入侵。喝醉酒的人，從車上摔下來，雖被摔傷而卻不會死。他的骨節與人相同，而受到的傷害卻與人不同，是因為他精神沒有虧損的原因。他既不知乘在車上，也不知道墜跌在地上，死與生、驚與懼，都不能進入心中，所以他撞到外物並不恐懼。醉酒者靠獲得神全尚且能如此，何況靠自然之道獲得神全的‘至人’呢？聖人藏身於自然之中，所以外物不能傷害他。被干將、鏌鋣所傷害的復仇者，他並不會去折斷它們；雖存有嫉恨之心的人，也不會怨恨無心飄落而傷害他的瓦片。這樣，天下就太平寧靜了。沒有攻城野戰的禍亂，沒有殘害殺戮的刑罰，就是由於保持這無心的自然之道。不要啟開人心之寶，而要啟開自然之門。啟開自然之門則有益於人生，啟開人的心智之寶則有害於人生。不要厭惡自然變化，不要忽視人性的伸展，人就可以返璞歸真了。"

孔子前往楚國，經過一片樹林，看見一個駝背的老人在持竿粘蟬，好像用手拾取一樣容易。孔子問他說："你真靈巧啊，有技藝嗎？"老人說："有技藝。在竹竿上累兩個彈丸，經過五六個月的練習就不會掉下來，在粘蟬時失誤就很少了。在竹竿上累三個彈丸而不掉下來，在粘蟬時的失誤只有十分之一。在竹竿上累五個彈丸而不掉下來，粘蟬時就好像用拾取一樣。為甚麼呢？我立定身子，就像豎起的樹那樣靜止不動。我用手持竿，就像枯木的樹枝。雖然天地博大，萬物種類繁多，而我只知道有蟬翼。我的身臂絕無變動，不會因為紛雜的萬物改變對蟬翼的專注，怎麼能粘不住蟬呢！"孔子便對弟子說："精神凝聚，用心專一，這就是老人粘蟬之道。"

顏淵問孔子說："我曾經渡過叫觴深的深水，船夫撐船像神人般的靈巧。我問他：'撐船，可以學習嗎？'他說：'可以學習。會游泳的人，經過數次練習，就能學會撐船。至於會潛水的人，雖未曾見過船，也會熟練地撐船。'我問他甚麼原因，他不告訴我。他的話是甚麼意思？"

孔子說："會游泳的人，經過幾次練習就能學會撐船，是因為他忘記水能淹人。至於會潛水的人未曾見過船就會撐船，是因為他看見深水猶如陸地上的小丘一樣，看見船傾覆水中猶如車子從高坡上向後倒退一樣。千萬種翻船、卻車的情景呈現在眼前，都不會擾亂他的心靈，他做甚麼不閒適自得呢？用瓦片做賭注，心計便靈巧；用帶鈎做賭注，心裡便懼怕；用黃金做賭注，心志便昏亂。賭者的心智是一樣的，而因為對帶鈎、黃金較貴重之物有所顧惜，心思便過多地轉移到外物上面。凡是注重外物的人，他內在的心思就笨拙。”

田開之拜見周威公，威公說：“祝腎學習養生之道，你在他那裡遊學，有何聽聞？”開之說：“我操持掃帚，侍候門戶，灑掃庭前而已，怎麼敢問先生之道呢？”

威公說：“你別謙虛，我想聽到養生的道理。”開之說：“先生說：‘善養生的人，像牧羊那樣，看見落後的羊，便揮鞭趕它。’”威公問此話何意。

開之說：“魯國有個單豹，在山中岩洞裡居住，飲用泉水，不與人爭利。七十歲了臉色還像嬰兒那樣，不幸遇到飢餓的老虎，就把他咬死而吃掉。還有個張毅，無論大戶和小戶，都去看望他。他四十歲卻患了心火疾病，死掉了。何故？單豹只養其內德，老虎從其外身吃掉他。張毅只養其外身名利，疾病攻其內心而死。這兩個人，都不知鞭其不足。”

孔子說：“不要深入岩穴隱藏自己，不要在世俗面前顯露自己，要像枯木一樣豎立在這兩者之間，既不隱藏，也不顯露。能做到這三點，他的養生功夫就達到了。艱險多盜的道路，十個人經過那裡，就有一人被殺。因此，父子兄弟相互警戒，必須成群結隊而後才敢通過，這不是很聰明嗎？人最可怕的是，臥房裡的縱慾、飲食上的失度，不知對它們有所警戒，這是很大的過錯！”

祭祀官穿着禮服、戴着禮帽，來到豬圈，他對豬說：“你為何怕死呢？我將用三個月餵養你，十天一齋，三天一戒，鋪上白茅草席，把你的肩和臀部放在雕有花紋的祭器上，那麼你願意這樣嗎？"若替豬着想，便會說："不如吃糟糠，關在豬圈裡。"若替自己着想，便希望活着享有乘車戴冕的尊位，死後能裝在繪有紋彩的柩車和棺槨裡。為豬着想，會拋棄那些；為自己着想，便會獲取那些。其截然不同，是何道理？

齊桓公打獵，管仲給他駕車。桓公看見了"鬼怪"。桓公拉着管仲的手說："仲父看見了甚麼？"管仲說沒看見甚麼。桓公回到宮中，便疲憊睏怠而致病，數日不出宮門。

齊國有個叫皇子告敖的賢人，告訴桓公說："你是自己傷害自己，哪有鬼怪傷你呢！胸氣鬱滯，散發不返，便造成精神萎靡不振；鬱結之氣上攻頭部而不下通，便使人易怒；鬱結之氣下通而不返上，便會使人易忘；鬱結之氣在體內不上不下，積淤內心，便要生病。"桓公說："究竟有沒有鬼呢？"皇子說："有！水下污泥中有鬼叫履，灶有神叫髻。門戶內堆積的糞壤，叫雷霆的鬼居住那裡。東北角的牆下，倍阿和鮭蠪鬼在那裡跳躍。西北角的牆下，泆陽鬼在那裡。水裡有鬼怪叫罔象。丘陵中有鬼叫莘。山中有木石妖怪叫夔。野外有鬼叫彷徨。草澤裡有鬼叫委蛇。"

桓公說："委蛇的形狀，是怎樣的？"皇子說："委蛇身大像車輪，身長像車轅，身穿紫衣而頭戴紅帽。它作為怪物，最討厭聽到如雷的車聲，兩手捧着頭站立着。看見它的人，恐怕就要成為霸主了。"桓公大笑說："這正是我所見到的鬼怪！"於是，桓公整理好衣帽，與皇子坐在一起談話，不到一天時間，他的病就不知不覺地好了。

紀渻子為齊王飼養鬥雞。過了十天，齊王問道："雞可以鬥了嗎？"紀渻子說："不能，正在虛浮矜驕，自恃意氣呢！"十天後，齊王又問。渻子說："不能，聽見雞鳴，看見雞影，還有想鬥的反應。"十天後，齊王又問。渻子說："差不多了，雖然有的雞鳴叫欲鬥，它卻沒有一點反應，看上去呆若木雞，它的德性完備了。別的雞沒有敢與它應戰的，看見它，就回頭跑掉了。"

孔子在呂梁觀賞風光，瀑布從三十仞高處落下，激流浪花飛濺長達四十里，黿、鼉、魚、鱉都不敢在這裡游蕩，有一個男子卻在這激流中游泳。孔子以為他有難言之痛而想尋死呢，便讓弟子順水傍流，去拯救他。那男子在激流中游數百步而浮出水面，披頭散髮，邊游邊唱，游到岸下。孔子問他說："我以為你是鬼呢！你游泳有方法嗎？"男子說："沒有。我開始游泳，是本於自然，長成於習性，完成於自然規律。與漩渦一起游入水中，與上湧的激流一起浮出水面，隨着激流變化的規律而不妄動。這就是我所以能在激流中游泳的原因。"孔子問道："甚麼叫始於自然，長於習性，完成於自然規律呢？"男子說："我生在山陵而安心於山陵，這叫做安於故常；我長在水邊而習於水邊，這叫習而成性；我不知道為何這樣做而去做了，這叫順應自然規律"。

梓慶削木，做懸掛鐘磬的架子，架子已經做成，看見的人都驚歎為鬼斧神工。魯侯看見後而問梓慶，他說："你用甚麼技術做成鐘磬架子的呢？"梓慶道："我是個工人，能有甚麼技術呢！雖這麼說，還是有點可談的。我將做鐘磬架子時，從未敢耗費神氣，要齋戒使心靜下來。齋戒三天，不敢懷有獲得慶賀、獎賞、賜爵、俸祿的念頭；齋戒五天，不敢懷有受到非議、讚譽和做工精巧、拙劣的想法；齋戒七天，就會忘記還有四肢和形體。正當這時，我心中已經不存在有公室和朝廷，我智巧專一而擾亂心神的外物完全不存在。然後，我走進山林，觀察樹木的天然性質，尋找形體適合的樹木，隨之好像做成的鐘磬木架便呈現眼前。接着，我便着手做。我的自然合於木的自然，鐻做成後，就被人疑是鬼斧神工。這裡就含有此等深意吧！」

東野稷因善於駕車而見到莊公。他駕起車子，前後進退像繩子那樣直，左右旋轉像規畫圓那樣圓。莊公認為造父也不能超過他，便讓他駕車轉一百個圈而後返回。顏闔看見此情，入內拜見莊公說：「東野稷的馬車表演，將要失敗。」莊公沉默而不做聲。過了一會，東野稷果然失敗而歸。莊公問顏闔說：「你怎麼事先就知道他會失敗呢？」顏闔說：「他的馬，氣力已經使盡，而他還是驅趕它，所以，我說他會失敗。」

工倕用手指畫圖，能與用規和矩所畫的圖一樣。何故？他的手指能隨物象的變化而變化，而不必用心思考，所以他的心靈專一而不受拘束。忘掉腳，穿鞋子就會感到舒適；忘掉腰，繫腰帶就會感到舒適；忘掉是非，內心就會感到舒適；不改變內心的持守，不受外物的影響，遇事就能安適。本性安適而未曾有何不安適，便是忘掉安適的安適。

有個名叫孫休的人，告訴扁慶子說：「我居住鄉里，無人說我沒有修養；遇到危難，沒人說我不勇敢。然而，我耕種卻遇不到豐年，為國君做事卻遇不到聖明時代，被鄉里人排斥，被州邑的官吏驅逐，我得罪了上天嗎？為何會有此等命運呢？」

扁子說：“你沒聽說得道之人的修養嗎？得道之人能忘掉肝膽耳目，無知無識地放縱在世俗之外，自由自在地以無為為事業，這叫率性而為而並不自恃其能，長育萬物而並不以主宰自居。如今你修飾智慧而驚嚇俗愚，修養自身來顯明別人的污穢，明亮的樣子像高舉日月而行於世。你能保全形體、具備九竅，沒有在人生中途傷殘耳聾、目盲、跛腿而尚列入常人之中，就算很幸運了，怎麼還能怨恨天呢？”

孫休走出門去，扁子進入室內，仰天而歎。弟子問道：“先生為何歎息呢？”扁子說：“剛才，孫休來時，我把得道之人的品德告訴他，怕他震驚，會更加迷惑。”弟子說：“不能這樣說。孫休所說是對的嗎？先生所說是錯的嗎？錯誤本來就不能使正確迷惑。他本來就有迷惑才來求救你，你有甚麼過錯呢？”

扁子說：“不能這樣說。從前，有一隻鳥飛到魯國京城的郊外，魯君非常喜歡此鳥，就設置‘太牢’款待它，演奏《九韶》樂曲使它快樂，鳥只是眼花繚亂，憂愁悲傷，不敢飲食。這叫以自己的生活方式來養鳥。假若用養鳥的方式養鳥，就應當讓鳥棲息在深林中，浮游在江湖裡，餵食泥鰍，就像生活在陸地上那樣。如今的孫休，是開竅甚小而孤陋寡聞的人。我告訴他得道之人的品德，就像用馬車載小老鼠、用鐘鼓之聲讓鴳雀快樂那樣，他又怎能不驚懼呢？”

評析

《達生》篇為“以義名篇”，取首二字為篇名。

莊子認為，人之生死，是應時而生，應時而去。所以，他說：“生之來不能卻，其去不能止。” 為此，莊子要世人重視 “養生”。在《莊子》書中，有不少篇章都談到 “養生” 的重要性。本文是莊子講 “養生之道” 的傑作，可以與《養生主》參看。《養生主》強調 “緣督以為經”，即順應中正至虛之道，循乎天理，依乎自然，處於至虛，游於無有，通過 “全神” 而達到養生的目的。《達生》篇則強調 “守氣全神” 而達到養生的目的。莊子的養生之道，對後代人們 “養生” 思想的形成和發展，具有深遠的影響。例如，嵇康的《養生論》、蘇軾的 “養生四法” 等等，都直接受到莊子養生思想的影響。

本篇首段為總論，闡明 “達生”、“達命” 的道理。即要世人懂得壽夭的自然規律和如何養生的問題。莊子說：“達生之情者，不務生之所以為；達命之情者，不務命之所無奈何。” 莊子把 “達生” 與 “達命” 並提，顯然是說：懂得生命規律的人，不做對生命無益的事；懂得壽夭規律的人，不做對夭亡無能為力的事。莊子指出，在 “達生”、“達命” 的問題上，世人存在兩種錯誤思想。一是有種人認為 “養形” 必先備物，其實，卻有 “物有餘而形不養者”；

“達生”、“達命”

劉鳳苞的評論，對正確理解 “達生”、“達命” 的含義頗有幫助。他說：“達生、達命，自聖賢言之，則為夭壽不貳，修身俟命工夫。此篇卻另有深意，為兩種人痛下針砭。一是備物養形，轉為伐性戕生之具。一是煉丹餌藥，自矜延年駐景之方。皆所為務生之所無以為，務命之所無奈何也。物有餘而形不養，見憑藉雖厚，痼疾深於膏肓。形不離而身已亡，見軀殼雖存，生理早為漸滅。寫得貪生惡死一等人，全無把握，醒快異常！”（《南華雪心編》）

二是有種人認為"有生必先無離形",其實,卻有"形不離而生亡者"。為達到養生目的,莊子說:"棄事則形不勞,遺生則精不虧。夫形全精復,與天為一……形精不虧,是謂能移。"認為只有"棄事"、忘我、無名,保養形體,凝聚精神,天人合一,順應自然變化,才能達到養生的目的。

總論之後,作者又寫十三則寓言,大都從不同角度,或明或暗地闡發養生必須"守氣全神"的道理。下面即對這十三則寓言,分別予以評析。

第一則寓言,寫"至人"能"潛行不窒,蹈火不熱,行乎萬物之上而不慄",並非是靠智巧、果敢之類戰勝外物,而是靠的"純氣之守"(持守純和元氣)。能"壹其性,養其氣,合其德",便能與締造萬物的大道相通。"其天守全,其神無卻",外物就不能侵犯,"死生驚懼,不入乎胸中"。所以說:"不厭其天,不忽於人",庶幾就可以返璞歸真,達到"至人"的境界了。宣穎評論此則寓言云:"神全則遊行虛際,物莫能傷,豈恃此塊然之形,少延喘息,便為養生乎!"(《南華經解》)

第二則為佝僂丈人"承蜩猶掇"的寓言,寫佝僂老人之所以能"承蜩猶掇",是其承蟬時,"用志不分,乃凝於神",物我兩忘,因此,在技藝上便能達到出神入化的境界。在這裡,即說明"神全"對養生的重要作用。劉鳳苞云:"志向精專,承蜩且然,況於養生之道乎!"(《南華雪心編》)

第三則為"津人操舟若神"的寓言,以操舟和以瓦、鈎、黃金為賭注做比喻,說明"外重"必然"內拙"。若內心無憂而神全,用在技藝上,則技藝精湛,便無往而不自適。而養生亦然,自適之適,則無往而不適。

第四則寓言，以牧羊比喻“養生”。牧羊應鞭落後之羊，讓其在羊群中執中不偏，便不會遇到外來的傷害。又舉兩例，予以說明。一是單豹善養其內，只注重品德修養，不養其外而強健身體，結果被虎吃掉。二是張毅只善養其外（名利），不養其內而強健身體，結果患內熱之病致死。此二人，皆為不鞭其後所致。劉鳳苞云：“世人但知養形，而全神守氣之功，視為緩圖，此即已落人後。不鞭其後，則禍患迭生，或防患於內，而外患乘之；或防患於外，而內患乘之。單豹、張毅，其明證也。一喻兩證，軒豁絕倫！”（《南華雪心編》）說明善養生者，應當守氣全神，內外兼養。

　　第五則寓言，說明善養生者，既不深入巖穴而隱藏起來，也不出入世俗而張揚自己，要立於二者中間，便不會受到外物傷害。莊子指出：衽席上的縱慾、飲食上的過度，對“養生”最有害，值得人們警戒。

　　第六則寓言，說明貪圖富貴之人，顛倒智愚，不通達“養生之道”。劉鳳苞云：“為豕謀，則寧辭祝宗之豢養，而不厭其糟糠。自為謀，則貪取軒冕之尊榮，而甘蹈刑戮。兩兩相形，真不知何以用情顛倒至此也！龜不願留骨於廟堂之上而曳尾於泥途，莊子以之自喻。豕不願加身於雕俎之間而棲形牢筴，莊子以之醒世。夢夢者迷而不悟，又莊子所大悲也！收句極冷峭，茫茫苦海中，安得此寶筏慈航，渡出迷津邪。”（《南華雪心編》）

　　第七則寓言，以桓公“見鬼”，氣蕩神搖而致病，說明養生之道，在於守氣全神。表現了莊子破除鬼神的唯物思想。林雲銘云：“物累起於心之自傷，非物之能為傷也。”（《莊子因》）宣穎云：“神搖則病生，神釋則病去，神之繫於人也如是。使桓公知養神，鬼惡能侵之！”（《南華經解》）劉鳳苞分析得更為透徹，他說：“此段借證桓公之病，以明養生之道，在守氣而全神。神虛則心志瞀亂，正氣不能作主，邪氣遂乘虛而入。無形者恍惚有形，譸詓為病，乃精魂喪失，譫語狂言，非真有鬼物憑依作祟也。”又說：“公則自傷”兩句，“說透病源，包括一篇無鬼論”（《南華雪心編》）。

第八則寓言，以養鬥雞為喻，說明養生應以養神全性為尚。“望似木雞”或“呆若木雞”的成語，即從此則寓言“望之似木雞”脫化而出。劉鳳苞云：“此段借喻鬥雞，愈見養神之妙。雞以好鬥逞其能，不若以不能鬥者全其德。猶之知巧果敢，不如純氣之守，其神全而物莫能傷也。‘木雞’二字，形容最妙，凝然不動，正所謂大知若愚，大巧若拙，大勇若怯，以之制勝於主客之交。”（《南華雪心編》）

第九則寓言，以呂梁男子善於游水做比喻，說明蹈水之道，“不為私焉”：“始乎故，長乎性，成乎命。”這三句話的意思，呂梁男子自己解釋說：“吾生於陵而安於陵，故也；長於水而安於水，性也；吾不知所以然而然，命也。”說明順遂水性，掌握游水規律，就不會被水傷害，這正是養生的妙道秘訣。劉鳳苞云：“從水之道而不為私，即孟子所謂順水之性，而行其無所事也……三層（指“始乎故，長乎性，成乎命”）託出正意，有飛花滾雪之姿！”（《南華雪心編》）此則寓言，文字優美，令人賞心悅目。尤其描寫呂梁瀑布，“懸水三十仞，流沫四十里”，氣勢磅礴，極為壯觀。

第十則“梓慶削木為鐻”的寓言，與上則寓言從水之道，

"不為私焉"同意。梓慶製木鐻，未敢耗氣，不敢懷慶、賞、爵、祿，不敢懷非、譽、巧、拙，忘記四肢形體，內"專巧"而"外滑消"，能"以天合天"，所以他製成鐻，見者皆驚歎為鬼斧神工。劉鳳苞云："梓慶之言，深入道妙。未嘗敢以耗氣，氣運於虛，則氣與神合，外物不足滑其心，專心之至，眾妙皆呈。"又云：寵利名譽，一切俱忘，何等超脫，"可知全神之妙用矣"！（《南華雪心編》）忘我忘物，守氣全神，無事而不成。

第十一則"東野稷以御見莊公"的寓言，以馬力竭則失敗，暗示養生者不能勞累，應當養身全神。否則，將會疾病纏身，後果不堪設想。林雲銘云："此段以為世累無窮，形勞精虧之喻。"（《莊子因》）劉鳳苞云："神運於虛，所以應無方而含眾妙。惟心不妄動，則操縱若神，若精力俱竭，而馳騁無已，未有不耗其神而敗者。馬其小者也。"（《南華雪心編》）

第十二則"工倕旋而蓋規矩"的寓言，說明能順應自然的變化，忘是非，"不內變，不外從"，"忘適之適"，則便能無往而不適。養生者，亦當如此。劉鳳苞云："借喻工倕，陡然而起，如天外芙蓉，憑空擲下，飄乎非常。工倕之巧，不從規矩而生，而規矩運用在心，所謂慘淡經營，工良苦心也……其行文渾脫瀏亮，天機湊泊，妙極自然，真有風行水上之致。"（《南華雪心編》）

第十三則寓言，亦是一篇傑出的文言小說，其中心思想，為作者慨歎世人，不懂養生全生之道。林雲銘謂此作主旨，在於慨歎："全生之道，非至人莫能知，亦非至人莫可語！"（《莊子因》)小說描寫了孫休、扁慶子及其弟子的鮮明形象，故事情節波瀾起伏，饒有情致。而且文章喻中設喻，巧比曲喻，蘊含有深邃的哲理。如小說寫扁慶子教訓孫休說：「子獨不聞至人之行邪？忘其肝膽，遺其耳目，芒然彷徨乎塵垢之外，逍遙乎無事之業，是謂為而不恃，長而不宰。今汝飾知以驚愚，修身以明污，昭昭乎若揭日月而行也。汝得全而形軀，具而九竅，無中道夭於聾盲跛蹇而比於人數，亦幸矣！又何暇乎天之怨哉？」不僅把「至人」達到的境界說得高不可攀，而且把孫休的可惡行徑，也描繪得栩栩如生，歷歷在目。冷嘲熱諷，頗有諷刺意味。又如寫魯君「以己養養鳥」：「為具太牢以饗之，奏《九韶》以樂之。鳥乃始憂悲眩視，不敢飲食。」認為不如「以鳥養養鳥」：「宜棲深林，浮之江湖，食之以委蛇，則安平陸而矣！」寄寓頗深，對世人養生頗有啟迪作用。小說始終緊緊圍繞孫休為「款啟寡聞之民」設置故事情節，一波三折，語言優美生動，頗能扣人心扉，不失為文言小說之傑作。

漁父

莊子像

孔子遊乎緇帷之林，¹休坐乎杏壇之上。²弟子讀書，孔子弦歌鼓琴。³奏曲未半，有漁父者，下船而來，鬚眉交白，⁴被髮揄袂，⁵行原以上，距陸而止，⁶左手據膝，右手持頤以聽。⁷曲終而招子貢、子路，二人俱對。⁸客指孔子曰："彼何為者也？"⁹子路對曰："魯之君子也。"客問其族。¹⁰子路對曰："孔氏者。"客曰："孔氏者何治也？"¹¹子路未應。子貢對曰："孔氏者，性服忠信，¹²身行仁義，¹³飾禮樂，¹⁴選人倫。¹⁵上以忠於世主，下以化於齊民，¹⁶將以利天下。此孔氏之所治也。"又問曰："有土之君與？"¹⁷子貢曰："非也。""侯王之佐與？"¹⁸子貢曰："非也。"客乃笑而還行，¹⁹言曰："仁則仁矣，恐不免其身。²⁰苦心勞形，以危其真。²¹嗚呼！遠哉，其分於道也。"²²

子貢還，報孔子。孔子推琴而起，²³曰："其聖人與？"乃下求之，至於澤畔，方將杖拏而引其船，²⁴顧見孔子，還鄉而立。²⁵孔子反走，再拜而進。²⁶

客曰："子將何求？"孔子曰："曩者，先生有緒言而去，²⁷丘不肖，未知所謂，竊待於下風，²⁸幸聞咳唾之音，以卒相丘也。"[29] 客曰："嘻！甚矣，子之好學也！"
孔子再拜而起，曰："丘少而修學，[30] 以至於今，六十九
歲矣，無所得聞至教，[31] 敢不虛心！"

注釋

1. 乎：於。緇（zī）帷之林：謂林木鬱茂，佈葉垂條，蔽日陰沉，猶如帷幕。緇，黑色。

2. 杏壇：澤中高地曰壇，因多種杏樹，故謂"杏壇"，傳說為孔子聚徒講學之所。

3. 弦歌鼓琴：彈琴吟唱。

4. 鬚眉交白：鬍鬚與眉毛皆白。交：俱。

5. 被：通"披"。揄：揮。袂：袖。

6. 行原：沿着澤岸行走。距：至。陸：高地。

7. 據：按。持頤：托着下巴。

王先謙《莊子集解》

8. 俱對：謂俱答問話。

9. 何為：為何，做甚麼。

10. 族：姓氏。

11. 何治：做甚麼事。

12. 性服忠信：謂其本性信守忠信。

13. 身行仁義：身體力行仁義。

14. 飾：修治。

15. 選人倫：序定人倫關係。選：序。

16. 齊民：齊等之民，即平民。

17. 土：土地，指國家。與：通"歟"，語氣助詞。

18. 佐：輔臣。

19. 還行：轉身便走。

20. 恐不免其身：恐怕難免身遭禍患。

21. 真：天性。

22. 遠：遙遠。分：離。

23. 推琴：放下琴，或謂推開琴。

24. 杖拏（náo）：持篙。引：撐。

25. 顧見：回頭看見。還鄉：轉身面向他。鄉，通"向"。

王夫之《莊子解》

26. 反走：後退。而進：向前靠近。

27. 曩（nǎng）者：剛才。緒言：略而不盡之言。

28. 不肖：不敏感，不聰明。下風：風的下方。此處借下風以示謙卑。

29. 咳唾之音：比喻言論。卒：終。相：助。

30. 修學：用功學習。

31. 至教：至理，真理。

　　客曰："同類相從，同聲相應，固天之理也。[32]吾請釋吾之所有而經子之所以。[33]子之所以者，人事也。天子、諸侯、大夫、庶人，此四者自正，治之美也；[34]四者離位而亂莫大焉。[35]官治其職，人憂其事，乃無所陵。[36]故田荒室露，[37]衣食不足，徵賦不屬，[38]妻妾不和，長少無序，[39]庶人之憂也；能不勝任，官事不治，[40]行不清白，群下荒怠，[41] 功美不有，爵祿不持，[42] 大夫之憂也；廷無忠臣，[43] 國家昏亂，工技不巧，[44] 貢職不美，春秋後倫，[45] 不順天子，[46] 諸侯之憂也；陰陽不和，寒暑不時，以傷庶物，[47] 諸侯暴亂，擅相攘伐，以殘民人，[48] 禮樂不節，財用窮匱，[49] 人倫不飭，[50] 百姓淫亂，天子有司之憂也。[51] 今子既上無君侯有司之勢，而下無大臣職事之官，[52] 而擅飾禮樂，選人倫，以化齊民，不泰多事乎？[53] 且人有八疵，事有四患，[54] 不可不察也。非其事而事之，謂之摠；[55] 莫之顧而進之，謂之佞；[56] 希意道言，謂之諂；[57] 不擇是非而言，謂之諛；[58] 好言人之惡，謂之讒；[59] 析交離親，謂之賊；[60] 稱譽詐偽以敗惡人，謂之慝；[61] 不擇善否，兩容頰適，[62] 偷拔其所欲，謂之險。[63] 此八疵者，外以亂人，內以傷身，君子不友，明君不臣。[64] 所謂四患者：好經大事，[65] 變更易常，[66] 以掛功名，[67] 謂之叨；[68] 專知擅事，侵人自用，謂之貪；[69] 見過不更，聞諫愈甚，謂之很；[70] 人同於己則可，不同於己，雖善不善，謂之矜。[71] 此四患也。能去八疵，無行四患，而始可教已。"[72]

注釋

32. 相從：相聚會。固天之理：本來是自然常理。固，本來。天，自然。

33. 釋：解釋。所有：見解。經：分析。所以：所為，作為。

34. 自正：各守職位。治之美：治理社會的理想境界。

35. 離位：離開職守。

36. 無所陵：不相凌亂。陵，通“凌”，凌亂。

37. 室露：房屋破露。

38. 徵賦不屬：謂賦稅不能按時交納。

39. 長少無序：長幼失去尊卑序列。

40. 官事不治：官吏不治理本職事務。

41. 群下荒怠：屬下荒忽怠惰。

42. 功美：功勞和美譽。不持：不能保持。

43. 廷：朝內。

44. 不巧：不精巧。

45. 貢職：貢賦。春秋後倫：春秋朝拜天子，落在同倫之後。後倫，排
在同類諸侯之後。

46. 不順天子：不順天子心意。

47. 不時：不合時宜。以傷庶物：萬物遭到傷害。庶，眾。

48. 擅相攘伐：擅自相互攻伐。民人：即人民。

49. 不節：失去節度。窮匱：匱乏。

50. 人倫不飭：人倫關係得不到整頓。飭，整頓。

51. 有司：主管官吏。

52. 職事：掌管事務。

53. 泰：通“太”。

54. 疵：缺點，毛病。患：禍患。

55. 前“事”字，為事情。後“事”字，為動詞，做。摠：通“總”，
包攬。

56. 莫之顧：不理睬。進：進忠言。佞：巧佞。

57. 希意道言：揣度別人的心意而說些迎合的話。諂：諂媚。

58. 諛：阿諛奉承。

59. 讒：毀謗。

60. 析交離親：離間親友。析：離間，與“離”同意。交：故交。

賊：害。

61. 稱譽詐偽：稱讚欺騙。慝（tè）：奸邪。

62. 善否（pǐ）：善惡。兩容頰適：善惡兼容而皆和顏悅色地對待。頰適：和顏悅色對待。

63. 偷拔其所欲：暗中取得自己所欲之物。險：陰險。

64. 明君不臣：聖明的君主不能任用忠臣。

65. 好經大事：喜歡經營大的事業。

66. 變更易常：改變常規。

67. 以掛功名：謀取功名。掛：畫，此指圖謀。

68. 叨（tān）：貪，貪多。

69. 專知擅事：自恃其才，獨斷專行。知：通"智"。擅事：獨斷行事。侵人自用：侵凌別人，剛愎自用。貪：貪婪。

70. 更：改。諫：勸諫。很：執拗不從。《說文解字》云："很，不聽從也。"

71. 矜：自大。

72. 始：方可。教：教誨。已：通"矣"。

　　孔子愀然而歎，[73] 再拜而起，曰："丘再逐於魯，[74] 削跡於衛，[75] 伐樹於宋，[76] 圍於陳蔡。[77] 丘不知所失，[78] 而離此四謗者何也？"[79] 客淒然變容曰：[80]"甚矣，子之難悟也！[81] 人有畏影惡跡而去之走者，[82] 舉足愈數而跡愈多，[83] 走愈疾而影不離身，[84] 自以為尚遲，疾走不休，絕力而死。[85] 不知處陰以休影，[86] 處靜以息跡，愚亦甚矣！[87] 子審仁義之間，察同異之際，[88] 觀動靜之變，適受與之度，[89] 理好惡之情，[90] 和喜怒之節，[91] 而幾於不免矣。[92]

謹修而身，慎守其真，還以物與人，則無所累矣。[93]今不修之身而求之人，不亦外乎？"[94]

孔子愀然曰："請問何謂真？"客曰："真者，精誠之至也。[95]不精不誠，不能動人。故強哭者，雖悲不哀；強怒者，雖嚴不威；[96]強親者，雖笑不和。[97]真悲無聲而哀，真怒未發而威，真親未笑而和。真在內者，神動於外，是所以貴真也。其用於人理也，[98]事親則慈孝，事君則忠貞，飲酒則歡樂，處喪則悲哀。忠貞以功為主，[99]飲酒以樂為主，處喪以哀為主，事親以適為主。[100]功成之美，無一其跡矣。[101]事親以適，不論所以矣；[102]飲酒以樂，不選其具矣；處喪以哀，無問其禮矣。[103]禮者，世俗之所為也；真者，所以受於天也，[104]自然不可易也。故聖人法天貴真，不拘於俗。愚者反此，不能法天而恤於人，[105]不知貴真，祿祿而受變於俗，故不足。[106]惜哉，子之蚤湛於人偽而晚聞大道也！"[107]

注釋

73. 愀（qiǎo）然：驚愧的樣子。

74. 丘再逐於魯：指在魯昭公和魯定公時，孔子兩次離開魯國。事見《史記·孔子世家》。

75. 削跡：絕跡。此句謂孔子不再到衛國去。

76. "伐樹"句：據《史記·孔子世家》記載，孔子與其弟子曾經在宋國的大樹下講習禮法，宋司馬桓魋欲殺孔子，拔掉大樹，孔子逃走。這句即指此事而言。

77. 圍於陳、蔡：孔子與其弟子曾遊於陳、蔡兩個小國之間，楚昭王派使臣聘孔子到楚國做官。陳、蔡大夫怕孔子在楚國做官對他們不利，於是便發兵把孔子一行包圍，絕食七日，孔子弟子餓得不能起行。

78. 不知所失：不知有何過失。

79. 離：通“罹”，遭受。謗：羞辱。

80. 淒然：悲涼的樣子。變容：容色改變。

81. 難悟：很難覺悟。

82. 畏影惡跡：害怕自己的身影，厭惡自己的足跡。走：快跑。《釋名》曰：“徐行曰步，疾行曰趨，疾趨曰走。”

83. 數：通“速”。或訓為頻繁。

84. 走愈疾：跑得愈快。

85. 遲：緩，慢。絕力而死：用盡氣力而死。

86. 處陰休影：停在陰暗處而止息身影。休，止。

87. 息跡：息滅足跡。

88. 同異之際：事物同異的界限。

89. 適：掌握。受與：取捨。度：分寸，尺度。

90. 理好惡之情：謂控制好惡的感情。

91. 和：調和。節：節度。

92. 而：通“爾”，你。下同。幾於不免：幾乎不能免遭禍害。

93. 還以物與人：把身外之物歸還他人。無所累：沒有拘累。

94. 不亦外乎：不是捨內而務外嗎？

95. “真者”句：謂人的真性，是精純誠實的最高境界。

96. 強怒：勉強發怒。雖嚴不威：雖然嚴厲而並不威嚴。

97. 強親：勉強親熱。不和：並不和善。

98. 其用於人理：謂把真性用在人倫關係上。理，人倫。

99. 以功為主：以建功為主。

100. 以適為主：以安適為主。

101. 跡：形跡，可訓為形式。兩句意謂：建立美好的功業，並不拘於一種形式。
102. 不論所以：不講究使用甚麼方法。
103. 無問其禮：不管用何禮節。
104. 受於天：稟受於自然。天，自然。
105. 恤（xù）於人：憂慮不能與世人相合。恤，憂。
106. 祿祿：庸庸碌碌。祿，通"碌"。不足：不滿足。
107. 蚤：通"早"。湛（dān）：沉溺。人偽：指虛偽的世俗。

　　孔子又再拜而起曰："今者丘得遇也，若天幸然。108 先生不羞而比之服役，而身教之。109 敢問舍所在，請因受業而卒學大道。"110 客曰："吾聞之，可與往者與之，至於妙道；111 不可與往者，不知其道，慎勿與之，身乃無咎。112 。子勉之，吾去子矣，113 吾去子矣！"乃刺船而去，延緣葦間。114

　　顏淵還車，子路授綏，115 孔子不顧，待水波定，不聞挐音而後敢乘。116 子路旁車而問曰："由得為役久矣，117 未嘗見夫子遇人如此其威也。118 萬乘之主，千乘之君，見夫子未嘗不分庭伉禮，夫子猶有倨敖之容。119 今漁父杖挐逆立，120 而夫子曲要磬折，言拜而應，得無太甚乎！121 門人皆怪夫子矣，漁人何以得此乎！"122 孔子伏軾而歎，123 曰："甚矣，由之難化也！湛於禮儀有間矣，而樸鄙之心至今未去。124 進，吾語汝：夫遇長不敬，失禮也；見賢不尊，不仁也。彼非至人，不能下人。125 下人不精，不得其真，故長傷身。[126] 惜哉！不仁之於人也，禍莫大焉，而由獨擅之。[127] 且道者，萬物之所由也。[128] 庶物失之者死，[129] 得之者生。為事逆之則敗，順之則成。[130] 故道之所在，聖人尊之。今漁父之於道，可謂有矣，[131] 吾敢不敬乎！"

注釋

108. 若天幸然：謂好像天賜的良機。幸：寵幸。

109. 比：列。服役：僕役，這裡指弟子。

110. 舍所在：住在哪裡。因：藉此。

111. 往："從迷適悟為往也。"（《莊子疏》）"可與"兩句：意謂能夠迷途知返的人就與他交往，直至傳授給他玄言妙道。

112. 不知其道：不知迷途知返的人。無咎：無害

113. 勉：勉勵。去：離開。

114. 刺：划，撐。延：緩。緣：順。"延緣葦間"，謂沿着岸邊緩緩地把船划向蘆葦叢深處。按：劉鳳苞說此四字："是小說雜記點綴體"（《南華雪心編》）。

115. 還車：調轉車頭。還，通"旋"。授綏（suí）：把綏交給孔子。綏，車上的繩索，登車時做拉手用。

116. 挐音：樂聲。

117. 旁車：靠着馬車。旁，通"傍"，依靠。由：仲由，字子路，為孔子的高徒之一。為役：為侍役，這裡指做弟子。

118. 如此其威：如此敬畏。威，敬畏。

119. 分庭亢禮：謂分處庭中，相對設禮，表示賓主平等相待。亢，通"抗"，對。倨敖之容：傲慢的表情。敖，通"傲"。

120. 杖挐逆立：持樂相對而立。逆，迎。

121. 曲要磬折：像石磬一樣彎腰鞠躬。要，通"腰"。磬，石磬，古代石樂，曲形，可掛在壁上。得無：難道不是。

122. 何以得此：怎麼能受到如此敬重。

123. 伏軾：伏身倚靠在車前的橫木上。

124. 樸鄙：樸拙鄙野。

125. 至人：至德之人，即最有道德的人。下人：使人謙下。

126. 真：真道，即大道。"下人"三句：謂對人謙下不精誠，就不能學到大道，所以也就常常傷害自身。

127. 獨：特，偏。擅：具有。

128. 所由：謂根源。

129. 庶物：眾物，即萬物。

130. 為事：做事。逆：違背。

131. 之於道：對於大道。按：最後一段，說明大道是萬物之本，違背則失敗，順從便成功。得道之人，理應受到尊重。

串講

　　孔子在一個樹林遊覽，坐在杏壇休息。弟子讀書，他在彈琴吟唱。曲奏未半，有位漁父下船走來，傾聽孔子彈琴吟唱。曲終，漁父招呼子貢和子路。問清孔子的姓氏和作為，便大笑說："孔氏論仁也算仁了，恐怕不能免除身遭禍害。他內心愁苦，形體勞累，要危害真性了。他離大道，太遙遠了！"

　　子貢把漁父的話，報告孔子。孔子認為漁父是聖人，便去追趕。漁父正在撐船，他看見孔子，便轉身面向孔子站着。孔子後退，向漁父恭敬地行禮。

　　漁父問孔子有何事。孔子說："剛才，先生言未盡而去，我孔丘不聰明，沒有明白其中的道理，私下在此等候先生，希望有幸能聽到先生的教誨，能有助於我。”漁父稱讚他太好學習了。孔子再次行禮，說：“小時候，我就用功學習，直到今天，已經六十九歲，還沒有學到真理，怎敢不虛心呢！”

漁父說：“同類相聚會，同聲相應和，本來是自然常理。讓我說明自己的見解而分析你的作為。你做的事，是世俗之人所為。天子、諸侯、大夫、民眾，他們各守職位，就是治理社會的理想境界了。他們如果都離開職位，就會造成天下大亂。田地荒廢，房屋破漏，衣食不足，不能按時納稅，妻妾不和，長幼失序，這是民眾的憂慮。不能勝任職守，官事沒辦好，行為不清白，屬下荒忽怠惰，無功於國，無譽於民，不能保持爵祿，這是大夫的憂慮。朝無忠臣，國家混亂，工技不精，貢品不佳，春秋朝拜天子而失去倫序，不順天子心意，這是諸侯的憂慮。陰陽不和，寒暑失時，萬物遭害，諸侯暴亂，相互攻伐，殘害人民，禮樂失度，財物耗盡而匱乏，人倫關係得不到整頓，百姓淫亂，這是天子和朝中重臣的憂慮。現在，你上沒有君侯的權勢，下沒有大臣的官位，卻擅自修治禮樂，序人倫，教化百姓，不是太多事嗎？人有八種毛病，事有四種禍患，不能不明察。並非分內之事而攬着做，叫做包攬。人不理睬卻進忠言，叫做巧佞。揣度別人的心意而說些迎合的話，叫做諂媚。不分是非而說奉承話，叫做阿諛。喜歡說別人的壞話，叫做讒害。離間親友，叫做坑害。稱譽偽詐而敗壞別人，叫做奸邪。不分善惡，兼容善惡而皆和顏相待，暗中取得所欲之物，叫做陰險。這八種毛病，對外亂人，對內傷身，君子不與其交友，明君不用其為臣。四種禍患是：喜歡做大事，改變常規，謀取功名，叫做貪多；自恃才智，專斷獨行，侵凌別人，剛愎自用，叫做貪婪；有錯不改，聽到勸諫則變本加厲，叫做執拗不從；同意己見便可，不同己見，好也不好，叫做自大。能去掉八種毛病，沒有四種禍患的人，才是能夠教誨的人。"

孔子驚愧地歎息，並一再行禮。他說："我孔丘兩次被逐出魯國，不能再去衛國，在宋國遭到伐樹的羞辱，曾被圍困在陳與蔡兩國之間。我不知自己有何過錯，竟遭到四次羞辱。"漁父淒然變容說："你太難覺悟了！有人害怕自己的身影，厭惡自己的足跡，想避開而跑掉，邁步愈速而足跡愈多，跑得愈快而身影愈不離身，自認為還是太慢，便跑個不停，結果用盡氣力而死。不知處陰息影，處靜滅跡，太愚蠢了！你審查仁義的區分，察明事物的異同，觀看動靜之變化，掌握取捨之尺度，控制好惡之感情，調和喜怒之節度，卻幾乎不能免於禍患！謹慎地修身、保持天然真性，把身外之物還給別人，就不會有拘累了。如今，你不修身而反而苛求他人，不是捨內而務外嗎？"

孔子驚愧地說："請問甚麼叫真？"漁父告之曰："真嘛，就是精純誠實的最高境界！不精純、不誠實，就不能感動人。所以，勉強裝哭者，表面悲痛而並不哀切；勉強發怒者，表面嚴厲而並不威嚴；勉強親熱者，滿面笑容而並不和善。真誠蘊含在內，精神表露於外，這正是'真'的可貴原因。把'真'用在人倫關係上，侍養雙親便會慈孝，輔佐國君便會忠貞，飲酒便會快樂，居喪便會悲哀。忠貞以建功為主，飲酒以快樂為主，處喪以哀為主，事親以適為主。建立美好的功業，不拘於一種形式。事親安適，不講方法；飲酒快樂，不選器具；居喪悲切，不講究禮節。禮節，為世俗所為；純真，稟受於自然，是不可改變的。所以，聖人法天貴真，不拘於俗。愚蠢的人，與此相反，不取法於自然，與世俗同流合污，不知貴重純真，總不知滿足。惜哉，你沉溺於世俗之中，學習大道太晚了！」

孔子再拜而起說：「今天能遇到先生，好像受到上天的寵愛。先生不感到羞辱，把我當做弟子，親自教誨。請問先生居住何處，讓我跟着受業，最終能學到大道。」漁父說：「聽說，能迷途知返的人，就與他交往，傳授給他大道；不能迷途知返的人，不懂大道，切勿與他交往，也就不會招來禍害。你自己努力吧，我離開你了！」漁父刺船而去，向葦叢深處緩緩地划去。

顏淵調轉車頭，子路把綏遞給孔子。孔子不顧，等水波定，聽不到漁父划船之聲，而後方敢坐上馬車。子路感到很不理解，便問孔子說：「我做先生弟子很久了，並未見先生對人如此敬畏。萬乘之主，千乘之君，看見先生都平等相待，先生還有傲慢之容。今天漁父持篙對面而立，先生曲腰磬折，言拜後應，不是太過分了嗎？」孔子身靠馬車而感歎地說：「仲由太難教化！你沉溺在禮樂中太久了，樸拙鄙野之心至今未除。我告訴你：見到長者而不恭敬，就失禮了；看見賢人不尊重，就不仁了。漁父若不是道德完美的人，是不能使人謙下的。對人謙下不精誠，就學不到大道，還會常常傷身。惜哉！人而不仁，禍患沒有比它再大了，你偏偏有此毛病。大道，是萬物產生之源。萬物失之則死，得之則生。做事違背之則敗，順之者則成。道之所在，聖人尊之。漁父算是得道的人了，我怎麼敢不敬重他呢！」

評析

　　本篇尖銳地批判了孔子提倡仁義、禮樂、忠信、倫理道德的思想。指出孔子不在其位而謀其政，“苦心勞形，以危其真”，表現了道家“法天貴真”、返歸自然的思想。《莊子》書中其他篇中所謂“葆真”、“全真”、“返真”云云，亦是此意。

　　從文學藝術形式而言，本篇與《盜跖》、《說劍》等，皆可視為莊子文言小說的傑作。本篇主要塑造了孔子和漁父的鮮明形象。孔子為儒家思想的代表人物，漁父則為道家的化身。通過孔子卑躬屈膝地向漁父乞求“至教”（真理），漁父嚴屬地教訓孔子的曲折生動的故事，表現了作品的主題思想。故事情節驚世駭俗，妙趣橫生，令人耳目一新。

　　從文學藝術結構而言，小說故事完整，分開端、發展、高潮和結局四部分。結構嚴謹、層層深化，一層更比一層生動。小說開端，便虛構孔子在杏壇（講學之所）休息，弦歌鼓琴。鬚眉交白的漁父，下船而來，被髮揄袂，左手據膝，右手持頤而聽。寥寥數筆，即把漁父的形象，描繪得栩栩如生。曲終，漁父招其弟子子貢和子路，問清孔子的姓氏和作為，便批評孔子不在其位而謀其政說：“仁則仁矣，恐不免其身。苦心勞形，以危其真。嗚呼！遠哉，其分於道也！”認為孔子危害了真性，距離道家的思想太遠了。這正是為下文寫孔子向漁父請求“至教”而蓄勢，寫得煞有其事，文章開頭難。本篇開端竟能和盤托出孔子和漁父的鮮明形象，引起讀者的興趣，的確難能可貴。

　　“道不同，不相為謀。”（《論語》）這是孔子向其弟子反覆申明的道理。而本篇小說中的孔子，竟然稱漁父是“聖人”，並卑躬屈膝地向其求教。而漁父向孔子說明自己的見解，分析了孔子的作為。漁父指出：孔子所做的事，都是世俗之所為；認為天子、諸侯、大夫、庶人，能各守其職，即達到治理社會的理想境界。顯然，這是向孔子傳授道家無為而治的思想。漁父教訓孔子說："能去'八疵'，無行'四患'，而始可教已。"孔子聽了漁父的教誨，驚魂落魄，再拜而起。不難看到，字裡行間，無不蘊含辛辣的諷刺意味。

孔子到處碰壁，竟然說不知自己的過失所在。因此，漁父旁比曲喻，教訓他一番，要他修身、"守真"、"還物與人"，才不會有外物之累。孔子向漁父請教"真"為何義。漁父說："真者，精誠之至也。不精不誠，不能動人。""真在內，神動於外，是所以貴真也。""禮者，世俗之所為也；真者，所以受於天，自然不可易也。故聖人法天貴真，不拘於俗。"並指出孔子沉溺於世俗之中，學習大道太晚了。孔子得到漁父的教誨，好像受到上天的寵愛。他請求去漁父館舍受業，期望最終能學到玄言妙道。而漁父卻拒絕孔子的請求，乃刺船而去，延於葦間。小說的故事情節，由發展推向高潮，到此便戛然而止。司馬遷說："世之學老子者則絀（黜）儒學，儒學亦絀老子。道不同，不相為謀，豈謂是邪！"（《史記·老子韓非列傳》）本篇小說卻虛構孔子向道家的漁父學習大道，這對儒家豈不是極大的諷刺和嘲笑！清代治莊學者劉鳳苞說："莊子嬉笑怒罵，皆成文章。"（《南華雪心編》）真不虛言也。

雖然，漁父刺船而去，小說的故事高潮已經結束，但小說並沒有結局。最後一段，是小說的結局部分。結局也寫得饒有情趣，餘音裊裊，耐人尋味。漁父去後，顏淵回車，子路授綏，孔子不顧，待水波定，不聞槳聲，而後方敢乘車。幾句話，就把孔子受到漁父的教誨，驚恐萬狀，喪魂落魄的失常神態，活龍活現地再現紙背。子路看到孔子如此失態，便問道：「萬乘之主、千乘之君」，見到先生，未嘗不分庭抗禮，先生猶有傲慢的表情，而先生見到漁父，卻「曲腰磬折，言拜而應」，豈不太過分了嗎？作者在此使用對比方法，予以竭力渲染，意在說明孔子對道家的無比推崇和尊敬。小說寫孔子教育子路說：「甚矣，由之難化也！湛於禮儀有間矣，而樸鄙之心至今未去……且道者，萬物之所由也。庶物失之者死，得之者生。為事逆之則敗，順之則成。故道之所在，聖人尊之。今漁父之於道，可謂有矣，吾敢不敬乎！」結尾這段文字不可或缺，是作者慘淡經營的藝術結晶。它用畫龍點睛的手法，最後才點明漁父為道家的化身，解除讀者的懸念。在這裏，已經說明孔子完全接受了道家思想，把道家的大道，看成萬物產生的根源，「逆之則敗，順之則成」，「失之者死，得之者生」，而成為不可違背的真理。不言而喻，這就說明道家大道的無比偉大，儒家思想不可同日而語，這就大大地提高了道家的社會地位。

從藝術成就方面而言，應當說莊子是中國小說之祖。虛構人、物、事，構成完整的故事，這正是小說區別其他文學樣式的主要標誌。莊子小說的

小說之祖

中國宋代著名學者黃震說：「莊子以不羈之才，肆跌宕之說，創為不必有之人，設為不必有之物，造為天下必無之事，用以眇末宇宙，戲薄聖人，走弄百出，茫無定蹤，固千萬世詼諧小說之祖也。」（《黃氏日鈔·讀諸子·莊子》）

人、物、事，大都是虛構的，故事完整，恣肆跌宕，茫無定蹤，嬉笑怒罵，“戲薄聖人”，黃震稱之為“千萬世詼諧小說之祖”，並非戲言。

當然，也應看到，莊子小說和大多先秦小說一樣，尚處在小說的萌牙狀態，為小說的雛形，還存在其先天的局限性，即對話過多，敘事較少。《漁父》此篇小說，亦存在這樣的不足。

莊子小說，語言豐富、生動優美，具有個性化的特徵和很高的審美價值。《漁父》篇尤為突出，並有許許多多的成語，諸如：弦歌鼓琴、鬚眉交白、苦心勞形、待於下風、咳唾之音、同類相從，同聲相應、田荒室露、衣食不足、徵賦不屬、妻妾不和、長幼無序、能不勝任、行不清白、廷無忠臣、國家昏亂、陰陽不和、寒暑不時、擅相攘伐、財用窮匱、人倫不飭、擅飾禮樂、希意道言、不擇是非、析交離親、稱譽詐偽、不擇善否、兩容頰適、外以亂人、內以傷身、君子不友、明君不臣、好經大事、變更易常、專知擅事、侵人自用、見過不更、淒然變容、畏影惡跡、影不離身、疾走不休、絕力而死、處陰休影、處靜息跡、法天貴真、晚聞大道、刺船而去、延緣葦間、千乘之君、萬乘之主、分庭抗禮、曲腰磬折、言拜而應、樸鄙之心、見賢不尊、失之者死、得之者生、逆之則敗、順之則成等等。還有“人同於己則可，不同於己，雖善不善”的名言。《漁父》篇中的有些成語，至今尚在使用，並將具有永久的生命力。

莊子的《漁父》之作，對後代曾經產生深遠的影響。如屈原的辭賦《漁父》、唐代張志和的《漁父》詞、以及清代御藏畫漁父圖等，都深蘊道家的思想。